PRIMEIRA GUERRA MUNDIAL

A GUERRA QUE ACABARIA COM TODAS AS GUERRAS

CLAUDIO BLANC

MATERIAL COMPLEMENTAR
ACESSE AQUI

Copyright © 2020 Claudio Blanc
Direitos reservados e protegidos pela lei 9.610 de 19.2.1998.
Nenhuma parte deste livro pode ser reproduzida, arquivada em sistema de busca ou transmitida por qualquer meio, seja ele eletrônico, xérox, gravação ou outros, sem prévia autorização do detentor dos direitos, e não pode circular encadernada ou encapada de maneira distinta daquela em que foi publicada, ou sem que as mesmas condições sejam impostas aos compradores subsequentes.
2ª Impressão 2021

Presidente: Paulo Roberto Houch
MTB 0083982/SP
Edição: Priscilla Sipans
Coordenação de Arte: Rubens Martim
Diagramadora: Evelin Cristine Ribeiro
Foto de capa: Wikicommons

Impresso no Brasil.
Foi feito o depósito legal.

Dados Internacionais de Catalogação na Publicação (CIP)
(eDOC BRASIL, Belo Horizonte/MG)

B638p   Blanc, Claudio.
　　　　Primeira Guerra Mundial / Claudio Blanc. – Barueri, SP: Camelot, 2019.
　　　　16 x 24 cm

　　　　ISBN 978-65-80921-06-5

　　　　1. Guerra Mundial, 1914-1918 – História. I. Título
　　　　　　　　　　　　　　　　　　　　　　　　　　　CDD 940.3

Elaborado por Maurício Amormino Júnior – CRB6/2422

Direitos reservados à
IBC – Instituto Brasileiro de Cultura LTDA
CNPJ 04.207.648/0001-94
Avenida Juruá, 762 – Alphaville Industrial
CEP. 06455-010 – Barueri/SP
Vendas: Tel.: (11) 3393-7723 (vendas@editoraonline.com.br)
www.editoraonline.com.br

SUMÁRIO

07 Apresentação

Parte I - O Mundo em Guerra

11 As Causas da Primeira Guerra

19 A Frente Ocidental

24 Guerra nos Bálcãs

31 O Teatro de Guerra do Oriente Médio

35 A Guerra na Ásia e no Pacífico

39 Operações Navais

45 Rússia: da Guerra à Revolução

49 As Ofensivas Finais

59 O Tratado de Versalhes

67 Alemanha: o Caos depois da Guerra

Parte II - Sobre Homens, Máquinas e Números

71 Tecnologias

95 Crimes de Guerra

103 Confraternizando com o Inimigo

107 Personagens

SUMÁRIO

117 Soldados Anônimos

123 Memórias da Grande Guerra

130 Guerra Animal

134 O Brasil na Guerra

Parte III - As Batalhas

141 1914

149 1915

154 1916

159 1917

163 1918

167 Apêndice

176 Bibliografia

APRESENTAÇÃO

A Primeira Guerra Mundial, também chamada de a Grande Guerra, foi um marco divisório na competição internacional que reconfigurou as fronteiras, não só as geográficas, mas também as políticas, redesenhando o mapa do poder no mundo. O conflito provocou, do mesmo modo, uma grande mudança comportamental nas populações da Europa Ocidental e da América do Norte que acabou motivando e acelerando diversos movimentos emancipatórios, especialmente das mulheres. Os "Loucos Anos (19)20", quando o jazz dominou a cena musical, a arte moderna ganhou espaço, as mulheres se liberaram, abandonando os longos vestidos e subindo suas saias até a altura dos joelhos, passando a fumar em público e a frequentar locais onde antes eram malvistas, foram reflexo direto da guerra.

A brutalidade das batalhas, travadas com poderosas armas de destruição nunca vistas, a banalidade da morte, a arrogância dos oficiais que não hesitavam em mandar para seu fim pelotões inteiros em ataques mal calculados que não passavam, de fato, de tentativas vãs de ganhar terreno, estabeleceu um baixo valor à vida humana. Com o fim do conflito – e da subsequente pandemia de gripe espanhola, que levou a óbito milhões de pessoas no mundo todo –, as pessoas abandonaram a moral do século XIX e adotaram um modo de vida mais livre. Os tabus sexuais da Era Vitoriana deram lugar a uma sexualidade mais liberada, especialmente para as mulheres, e estimularam os movimentos pelos direitos femininos, especialmente o sufragista.

A Grande Guerra também foi a primeira guerra industrial, colocando de ambos os lados potências industrializadas, como o Reino Unido, a França e a Alemanha, e impérios com traços medievais, como o turco, o russo e o austro-húngaro. De fato, tais impérios sucumbiram frente à nova ordem mundial que se instaurou depois da conflagração. A Rússia e a Áustria, que detinham grande parte do território europeu, foram reduzidas drasticamente; o império turco foi extinto, fragmentando o mundo árabe, que, a partir de então, não teve mais a figura do califa, encarnada pelo imperador otomano – uma posição fundamental no mundo muçulmano.

Foi uma guerra inevitável, profetizada e anunciada anos antes, tanto pelo fanatismo nacionalista que se instaurou devido à concorrência entre as potências, como pela corrida armamentista que ganhou terreno a partir da última década do século XIX. Nos meses imediatamente anteriores à guerra, muitos britânicos e alemães consideravam que o conflito seria rápido. Alguns voluntários o viam até mesmo como algo um tanto esportivo, como uma expedição de caça no verão. Esta disposição levou a um fenômeno único e curioso: a reconciliação dos soldados inimigos na época de Natal, onde aqueles operários de máquinas de destruição desobedeceram às suas ordens e disputaram partidas de futebol uns contra os outros, trocaram cigarros e mostraram aos inimigos as fotografias de seus entes queridos. Isso, porém, logo mudou.

O ódio nacionalista contra tudo o que é estrangeiro e a disponibilidade de armas com um poder de destruição até então nunca visto foram elementos que trouxeram uma nova disposição assassina para a humanidade, uma triste inclinação para disseminar aquilo que é contrário ao humano, a inumanidade. Foi durante o conflito que surgiram os Holocaustos executados com eficiência

APRESENTAÇÃO

industrial. Os genocídios perpetrados pelos turcos, principalmente contra os armênios, e pelos alemães na Bélgica, abriram espaço para outras barbáries, como o Holocausto promovido pelos nazistas contra os judeus, os eslavos e outras minorias, e os bombardeios incendiários que os americanos realizaram no Japão, visando a população civil das cidades de Hiroshima e Nagazaki com o uso da bomba atômica, durante a Segunda Guerra. Essa primeira guerra diminuiu ainda mais o valor da vida humana, sempre desconsiderado pelos líderes e governantes.

No entanto, apesar do esforço em recursos, em vidas, em sangue e lágrimas, o conflito, antes tido como "a guerra que terminaria com todas as guerras", não se concluiu com seu final. De fato, o período que se seguiu foi apenas um tempo em que as nações beligerantes se rearmaram, se reconstruíram, para resolver suas diferenças numa conflagração ainda maior e ainda mais destruidora: a Segunda Guerra Mundial.

Este livro da Camelot Editora reúne diversos de meus textos publicados sobre a Grande Guerra em diferentes edições, de modo a formar um painel que retrata os diferentes aspectos do conflito, não se limitando apenas aos dados históricos e às principais batalhas e ofensivas, mas incluindo igualmente o aspecto humano da conflagração, como o importante depoimento de Apolônia Strauss, hoje falecida, que viu, viveu e sofreu a guerra na Áustria antes de emigrar para o Brasil. Como qualquer livro histórico, trata-se de um esforço de conscientização para, tendo sido colocados diante de fatos tão monstruosos como os que ocorreram na Grande Guerra, não nos esqueçamos do terror que somos capazes de perpetrar uns contra os outros. E, diante desse horror, que não nos esqueçamos e, principalmente, que refutemos qualquer tipo de violência gratuita contra quem quer que seja. Creio que seja este um dos caminhos para nos tornarmos mais humanos.

Claudio Blanc
Março de 2020

PARTE I
O MUNDO EM GUERRA

AS CAUSAS DA PRIMEIRA GUERRA

As causas da Primeira Guerra Mundial estão entre os temas mais estudados da História. Um assunto espinhoso sobre o qual historiadores e observadores apresentam diferentes interpretações numa batalha teórica que parece não ter fim. Na verdade, a Primeira Guerra Mundial, o maior e mais sanguinário conflito até então e o início do período que o historiador britânico Eric Hobsbaw chamou de "Era das Catástrofes" (1914 – 1945), tem suas origens bem antes de 1914 e envolve as intrincadas relações entre as potências europeias. Em seu livro *Austria-Hungary and the Origins of the First World War*, Samuel R. Williamson enfatiza o papel do Império Austro-Húngaro como catalisador da guerra. Contudo, o atentado que assassinou o arquiduque Ferdinando da Áustria foi apenas a faísca que inflamou a atmosfera tremendamente volátil da Europa de então.

Ao longo de todo século XIX, o continente europeu foi marcado por conflitos que desenhavam a nova distribuição do poder. Movimentos políticos e sociais que foram deflagrados pela Revolução Francesa e que, numa corrente de eventos, só se estabilizariam, crise após crise, depois da queda do Muro de Berlim.

Originária da Suíça, a dinastia Habsburgo estava no trono austríaco desde 1279, onde havia se mantido habilmente por meio de alianças

O MUNDO EM GUERRA

que incluíam uniões matrimoniais com as famílias mais poderosas da Europa. No século XIX, os Habsburgos tinham feito da Áustria o segundo maior Estado europeu, menor apenas que a Rússia.

A partir de 1848, porém, a Áustria é afetada pelas revoluções contra o regime monárquico que se alastraram pela Europa. Parte da nobreza se rebela. Contudo, em 1856 e 1857, o imperador austríaco Francisco José I concedeu uma ampla anistia aos nobres revoltosos, numa tentativa de reconciliação. Em 1858, porém, o Império perdeu a Lombardia. Foi a primeira de uma sucessão de derrotas.

Em 1866, a Alemanha, em processo de unificação e com apoio da Itália, venceu a Áustria na Guerra Austro-Prussiana, acabando com o domínio austríaco sobre a Confederação Germânica, uma aliança para defesa mútua entre 39 Estados alemães, formada em 1815, que possibilitou a fundação do Primeiro Reich. Entre as perdas, a rica Veneza. No ano seguinte, cedendo às pressões (e influenciado pela esposa), Francisco José elevou a Hungria à condição de reino, criando o Império Austro-Húngaro.

No início do século XX, o Império Austro-Húngaro estava seriamente ameaçado de se desfazer. Em 1908, a Bósnia-Herzegovina foi anexada ao Império. Aquilo que parecia ser uma vitória apenas incitou os ânimos de uma emergente potência militar, a Sérvia, que também queria se apossar desse território. O evento deixou no ar a tensão que precipitou a Primeira Guerra Mundial. Seguindo o tradicional papel de protetor da Bósnia-Herzegovina, o czar russo Nicolau II se opôs veementemente à anexação. Contudo, a Rússia não tinha poder militar para apoiar a Sérvia e não lutou contra a Áustria.

As animosidades entre a maior potência da Europa Central e o maior Império da Europa Oriental acabaram por acirrar os ânimos das potências da Europa Ocidental: Reino Unido, França e Alemanha. Unidos por alianças políticas e divididos pela competição comercial que exigia dominar e colonizar países produtores de matérias-

AS CAUSAS DA PRIMEIRA GUERRA

primas vitais para seus processos industriais, essas nações logo se posicionaram. Num tempo em que o nacionalismo exacerbado era o leme que guiava as ações políticas em toda a Europa, o tabuleiro para o jogo da guerra havia sido montado. De um lado, Reino Unido, França, Itália e Rússia. Do outro, os Poderes Centrais: Alemanha, Império Austro-Húngaro e, posteriormente, a Turquia.

Rede de Alianças

A partir de 1870, o conflito na Europa foi evitado por meio de uma rede de alianças cuidadosamente planejada entre o Império Alemão (Primeiro Reich) e as outras potências europeias, orquestradas por Otto Von Bismarck, chanceler alemão considerado o estadista mais importante da Alemanha no século XIX. Seus esforços foram dirigidos especialmente no sentido de manter a Rússia ao lado da Alemanha, a fim de evitar uma guerra em duas frentes com a França e o Império Russo. Quando Wilhelm II subiu ao trono alemão, ele descontinuou a política de Bismarck, recusando-se a renovar tratados, como o Tratado de Resseguro, que mantinha a aliança do Império Alemão com a Rússia, em 1870, e as alianças foram gradualmente enfraquecendo. Em 1892, a França e a Rússia assinaram uma aliança; em 1904, o Reino Unido selou aliança com a França, o Entente Cordiale e, em 1907, com a Rússia, a Convenção Anglo-Russa. Esse sistema de acordos bilaterais formou, por sua vez, a Tríplice Entente, a união militar entre esses três países, que veio a ser apoiada por Portugal, Espanha, Estados Unidos, Canadá, Japão e Brasil.

As tendências dessa intrincada rede de alianças foram bem ilustradas por uma caricatura publicada numa revista americana, em 1914. Na legenda "Rede da Amizade", lê-se: "se a Áustria atacar a Sérvia, a Rússia cai em cima da Áustria, a Alemanha, em cima da Rússia e a Inglaterra e França, sobre a Alemanha". A situação era exatamente essa.

Com efeito, a Crise da Bósnia armou a bomba. Em 1912, por conta da incapacidade de apoiar militarmente a Sérvia durante a Primeira Guerra dos Bálcãs (1908) – e, também, para acompanhar a corrida armamentista

O MUNDO EM GUERRA

Este quadrinho, publicado imediatamente antes da guerra, ironiza as alianças e rivalidades entre as potências europeias e as consequências de uma agressão.

entre Inglaterra, França e Alemanha iniciada no final do século XIX –, a Rússia anunciou que reformaria seu exército. Imediatamente após o anúncio, o secretário do Exterior alemão, Gottlieb von Jagow, declarou no parlamento, que "se a Áustria for forçada, por qualquer motivo, a defender sua posição de potência, devemos apoiá-la". Os líderes do exército alemão passaram a pressionar o Kaiser para mover uma "guerra preventiva" contra a Rússia.

Na verdade, a declaração de von Jagow foi respondida pelo secretário do Exterior britânico, sir Edward Grey. Segundo David Fromkin, autor de *Europe's Last Summer: Who Started the Great War in 1914?* (O último Verão Europeu: Quem começou a Grande Guerra de 1914?) (Knopf, Nova York, 2004), Grey avisou o príncipe Karl Lichnowsky, o embaixador alemão em Londres, que se a Alemanha assinasse um "cheque em branco" para fazer uma guerra nos Bálcãs, "as consequências seriam incalculáveis". Ele insinuava que, se a Alemanha atacasse a França, por conta da questão territorial da Alsácia-Lorena, a Inglaterra interviria a favor da França. Grey não poderia estar mais certo. As consequências da Primeira Guerra Mundial viriam a ser as piores vividas pela humanidade, até então.

AS CAUSAS DA PRIMEIRA GUERRA

Segundo o historiador Samuel R. Williamson, o governo imperial austro-húngaro estava convencido de que as ambições russas nos Bálcãs estavam desintegrando o Império e acreditavam que uma guerra contra a Sérvia, com apoio da forte Alemanha, neutralizaria tanto a Rússia como a Sérvia. Os turcos também desejavam vencer os russos, os quais ameaçavam seus interesses regionais e se aliaram à Áustria. Não contavam, como também não contavam os alemães, que os britânicos e os franceses interviriam, precipitando todo o continente e as outras regiões do globo numa guerra mundial.

Já o historiador britânico especialista na Grande Guerra David Stevenson aponta para a corrida armamentista como a maior causa desse conflito. "A corrida armamentista era uma pré-condição necessária para o início das hostilidades", escreveu Stevenson. Outro historiador, David Hermann, concorda: "A corrida armamentista realmente precipitou a Primeira Guerra". Outros estudiosos sustentam que o crescimento do poderio naval alemão foi o fator que azedou o relacionamento entre o Reino Unido e a Alemanha.

Era esse o estado de coisas – relações inflamáveis (e inflamadas) entre as potências europeias. A atmosfera estava tão saturada que bastava riscar um fósforo para o conflito explodir. E o fósforo foi riscado na forma de um assassinato.

Em meados de 1914, o arquiduque da Áustria Francisco Ferdinando, sobrinho do imperador e herdeiro do trono, foi a Sarajevo, capital da Bósnia-Herzegovina, tentar acalmar os ânimos dos súditos sobre a ferida aberta em 1908: a questão da Sérvia. A Sérvia, independente desde o início do século XIX, esforçava-se para unificar os territórios eslavos ao sul de sua fronteira: Macedônia, Montenegro e Bósnia-Herzegovina. Nessa tentativa, confrontou os interesses Austro-Húngaros, cuja política expansionista, o *"Drang nach Osten"* (a "Marcha para Oeste"), visava estender o Império e chegar até o porto de Tessalônica, na Grécia.

Francisco Ferdinando fez visitas, promessas e acabou assassinado por Gavrilo Princip, um radical sérvio, em 28 de junho de 1914. O imperador Francisco José, na época com 84 anos, fez duras exigências à Sérvia, que recusou parte delas. Motivado pelo suporte recebido e para evitar uma guerra civil que fragmentaria o Império, no final de julho de 1914, a Áustria-Hungria declarou guerra à Sérvia. As outras potências europeias se lançaram no conflito e logo todo o continente virou palco de operações militares.

O Atentado de Gavrilo Princip

O atentado foi consumado por Gavrilo Princip, membro do grupo "Jovem Bósnia". O assassinato buscava provocar a independência das províncias eslavas da Áustria-Hungria, para que pudessem ser reunidas num novo país, a Grande Sérvia, ou "Iugoslávia". Princip não agiu, porém, sozinho. Outros dois terroristas também participaram, tentando, sem sucesso, assassinar o arquiduque.

No comando dos conspiradores estavam militares sérvios. O líder foi Dragutin Dimitrijević, chefe da espionagem sérvia, seu braço direito, junto ao major Vojislav Tankosić e ao espião Rade Malobabić. Tankosić armou e treinou os três jovens que tomaram parte no atentado.

No dia do atentado, os três terroristas se espalharam por diferentes pontos de Sarajevo – por onde se sabia que a comitiva do arquiduque passaria – esperando por uma oportunidade de assassinar o arquiduque. O primeiro deles, armado com uma bomba, não conseguiu se aproximar da comitiva quando ela passava pelo local em que se encontrava, perdendo, assim, a oportunidade. O segundo chegou a jogar a bomba que portava sobre o carro de Ferdinando, que bateu na capota fechada e caiu logo atrás, explodindo o carro que vinha em seguida e ferindo vinte pessoas.

Apesar do ocorrido, Francisco Ferdinando continuou com a programação planejada para aquele dia. Desse modo, horas após a primeira tentativa, o arquiduque acabou surpreendido por Gavrilo Princip, que se aproximou do carro onde ele e a esposa estavam e disparou dois tiros a curta distância, matando ambos.

AS CAUSAS DA PRIMEIRA GUERRA

Princip foi preso logo depois ao assassinato. Durante seu julgamento, afirmou ter atirado sem mirar. Não soube dizer quantas vezes atirara e nem mesmo se acertara seu alvo. O terrorista ficou preso durante toda a guerra, tendo morrido em 28 de abril de 1918, vítima de tuberculose, num campo de refugiados na República Tcheca.

As Causas da Grande Guerra

As causas da Primeira Guerra Mundial são diversas e envolvem políticas nacionais e econômicas, corridas armamentistas, conflitos territoriais, étnicos e culturais e uma complexa teia de alianças que vinha se desenvolvendo entre as potências europeias desde 1870. Algumas das razões mais antigas e importantes são:

- Crescimento do nacionalismo em toda a Europa
- Problemas territoriais
- Intrincado sistema de alianças
- Mudança no equilíbrio de poder entre as potências europeias
- Governos fragmentados
- Atrasos e enganos nas comunicações diplomáticas
- Corrida armamentista iniciada nas décadas anteriores
- Competição por colônias ricas em matérias-primas
- Concorrência militar, econômica, industrial e comercial
- A necessidade, principalmente para a França, a Alemanha e a Áustria, de superar a estagnação interna por meio de conquistas externas

Cartão-postal da Primeira Guerra Mundial com soldados americanos passando por arame farpado, usando sacos de granadas para atacar os alemães.

A FRENTE OCIDENTAL

A Primeira Guerra Mundial foi um dos maiores conflitos protagonizados pela humanidade – uma guerra na qual praticamente todas as grandes potências foram envolvidas, empreendida com armas de elevado poder de destruição. O drama humano vivido nas trincheiras, sob o fogo cerrado, ou nas corridas pela "terra de ninguém" – o espaço não conquistado entre as trincheiras –, onde os soldados avançavam sob intenso bombardeio, sendo varridos por metralhadoras, acabou por modificar o comportamento não só da geração que viveu essa guerra, mas também das seguintes, fazendo com que o século XX fosse uma era de mudanças de comportamento e de convenções sociais sem precedentes.

No começo das hostilidades, a estratégia dos Poderes Centrais (a Alemanha, a Áustria e a Turquia) teve problemas de comunicação, o que prejudicou suas operações iniciais. A Alemanha deveria apoiar o Império Austro-Húngaro numa invasão à Sérvia, mas a maneira como isso seria feito não foi planejada. De acordo com o recente trabalho do historiador Hew Strachan, *The First World War* (Simons and Shuster, Londres, 1993), considerado uma das melhores sínteses sobre o conflito, os oficiais austríacos haviam entendido que o exército do Kaiser cobriria o flanco norte, neutralizando os russos. No entanto, os generais alemães entenderam que a Áustria-Hungria deveria conter os russos, enquanto o exército do Kaiser cuidava da França. Essa confusão inicial levou o exército da Áustria-Hungria a se dividir em duas frentes: uma contra a Rússia, outra contra a Sérvia.

O MUNDO EM GUERRA

Os austríacos tentaram invadir a Sérvia, enfrentando o exército sérvio na Batalha de Cer (travada entre 16 e 19 de agosto de 1914) – a primeira derrota dos Poderes Centrais. As forças austro-húngaras foram, em seguida, derrotadas na Batalha de Kolubara (16 de novembro a 15 de dezembro de 1914).

Enquanto os austríacos eram deixados para enfrentar os russos, o exército alemão abriu o Front Ocidental, invadindo Luxemburgo, que não ofereceu resistência. Em seguida, a Alemanha planejava atacar a França invadindo a Bélgica, que era neutra. A partir da Bélgica, o exército do Kaiser entrou na França, chegando até os arredores de Paris, onde passou a controlar importantes regiões industriais daquele país.

A Invasão da Bélgica

Nos primeiros dias de guerra, os alemães surpreenderam invadindo a Bélgica, que tinha sua neutralidade assegurada pelo Tratado de Londres, de 1839 – assinado pelas potências europeias que reconheciam e garantiam a independência e neutralidade da Bélgica.

Mas a violação do tratado de neutralidade não foi a pior coisa que os homens do Kaiser protagonizaram. A maneira como os alemães trataram os civis belgas foi logo apelidada de "Estupro da Bélgica".

Em algumas cidades, a violência contra os civis escalou. Temendo guerrilheiros belgas, os alemães incendiaram casas e executaram milhares de civis – inclusive mulheres e crianças. De fato, assim como o assassinato de civis e o saque, o estupro era uma realidade a que as mulheres belgas foram submetidas repetidas vezes durante a invasão alemã, de 1914 a 1918.

O rigor do exército alemão nos territórios conquistados, principalmente na Bélgica, inspirou a geração seguinte de soldados alemães, comandados por um veterano da Primeira Guerra, o cabo Hitler. No livro *Hitler's Secret Conversations* (Farrar, Straus e Young, Nova York, 1953) os editores citam Hitler defendendo a postura dos alemães na Bélgica: "O velho Reich sabia agir com firmeza nas áreas ocupadas. Na Bélgica, o conde von der Goltz punia as tentativas de sabotagem

A FRENTE OCIDENTAL

às ferrovias incendiando todas as aldeias próximas, depois de fuzilar prefeitos, aprisionar os homens e evacuar as mulheres e crianças".

A propaganda de guerra aliada tirou partido dos maus-tratos – por vezes, exagerando-os de forma caricatural – do Estupro da Bélgica. Apesar da violência real, as histórias que circulavam eram inacreditáveis e não comprovadas – coisas como mulheres tendo os seios retalhados e bebês de colo sendo perfurados por baionetas. A propaganda britânica usou o Estupro da Bélgica para vender bônus de guerra com argumentos do tipo, "colabore, ou isso poderá acontecer com sua família".

Exageros à parte, é inegável a violência alemã contra uma população civil. O saldo da invasão comprova. Durante a ocupação da Bélgica na Primeira Guerra, os homens do Kaiser assassinaram seis mil civis e destruíram vinte e cinco mil casas e prédios em 837 comunidades. Como resultado, um milhão e meio de belgas – cerca de vinte por cento da população do país – deixaram sua nação.

Marne

Embora a invasão da Bélgica tenha sido bem-sucedida – afinal, o país não esperava ser invadido devido à sua neutralidade – o avanço alemão foi barrado na Primeira Batalha do Marne, travada entre 5 e 12 de setembro de 1914, com a vitória dos aliados. O contra-ataque aliado foi executado por seis exércitos de campanha franceses e um britânico ao longo do rio Marne, forçando os alemães a se retirar em direção ao norte.

Depois da Primeira Batalha do Marne, nem os alemães nem os aliados conseguiam avançar. Tentaram, por isso, flanquear continuamente um ao outro ao longo de todo o Nordeste da França, num movimento que passou para a história com o nome de Corrida para o Mar. Sem sucesso em romper as linhas uns dos outros, estabeleceu-se uma guerra de trincheiras entre os aliados (britânicos e franceses) e os alemães que continuou até o final do conflito. As trincheiras formaram uma linha de frente contínua de mais de três mil quilômetros de extensão – do Mar do Norte até a fronteira da França com a Suíça.

O MUNDO EM GUERRA

A Corrida para o Mar começou em setembro de 1914, em Champagne, marcando o final do avanço alemão na França, e terminou no Mar do Norte, em novembro do mesmo ano. Na Batalha de Aisne, porém, os alemães se detiveram e, por sua vez, impediram o avanço dos aliados. Nas batalhas de Picardy, Artois e Flanders, que se seguiram, nenhum dos beligerantes conseguiu vantagem. Com as contínuas manobras executadas pelos dois lados para romper a linha inimiga, os exércitos foram se alinhando em trincheiras ao longo do nordeste francês até atingir a costa.

Entre 1915 e 1917, houve importantes ofensivas no front ocidental. Em 1916, os generais alemães acreditavam que não era mais possível romper as linhas aliadas e buscaram forçar a capitulação da França, infligindo pesadas baixas. De acordo com o historiador MacGregor Knox, a meta era, conforme os alemães, "sangrar a França" até a última gota. Os ataques lançavam mão de bombardeio contínuo, feito por artilharia pesada, seguido de avanços em massa da infantaria. Contudo, essa estratégia resultava em muitas mortes. Ninhos de metralhadora, arame farpado e artilharia cobravam um preço alto dos atacantes. As ofensivas mais encarniçadas contabilizaram perdas impressionantes. A Batalha de Verdun, travada entre franceses e alemães de 21 de fevereiro a 18 de dezembro de 1916, somou setecentas mil mortes; a Batalha do Somme, entre 1 de julho e 18 de novembro de 1916, uma ofensiva conjunta dos britânicos (apoiados por contingentes de canadenses, neozelandeses e australianos, indianos e sul-africanos) e franceses teve mais de um milhão de mortos; e a campanha de Passchendaele, empreendida entre junho e novembro de 1917, contou cerca de seiscentas mil baixas. Nesse cenário, nenhum avanço significativo foi realizado por ambas as partes.

Na tentativa de romper esse empate mantido à custa de muito sangue, novas armas e tecnologias foram introduzidas. Entre as novas máquinas de destruição estavam tanques de guerra, aviões de combate e armas químicas, como o gás mostarda. A Segunda Batalha de Ypres, travada pelo controle da estratégica cidade de Ypres (Bélgica), na primavera de 1915, foi marcada pelo uso em massa de armas químicas.

A FRENTE OCIDENTAL

Era a segunda vez na história que esse tipo de armamento era usado (a primeira vez foi na Batalha de Bolimow, na Polônia). Em 22 de abril, depois de um bombardeio contínuo ao longo de dois dias seguidos, os alemães liberaram 168 toneladas de gás de cloro no campo de batalha. Sendo mais pesado que o ar, foi levado pelo vento através da "terra de ninguém" e entrou nas trincheiras britânicas. A nuvem de gás verde-amarelado asfixiou alguns soldados e os que estavam na retaguarda fugiram em pânico, deixando uma abertura de seis quilômetros na linha de defesa dos aliados. Os alemães foram surpreendidos pelo efeito da arma e, sem tropas reservas, não puderam explorar a abertura. Contingentes canadenses entraram em cena e bateram os alemães. Foi a primeira vez que um exército colonial vencia uma potência europeia em solo europeu. Entretanto, o que deu mais mobilidade a essa frente estagnada não foram as novas armas, mas as táticas inovadoras.

Em 1918, com a saída da Rússia do conflito, marcando o fim da guerra na Frente Leste, os alemães puderam empregar na Frente Ocidental as forças liberadas no Front Oriental. Por conta disso, lançaram a Ofensiva da Primavera. Usando novas táticas de infiltração, os alemães avançaram cerca de cem quilômetros a oeste – o maior avanço realizado por qualquer exército na Frente Ocidental. A Ofensiva da Primavera quase teve sucesso em romper as linhas dos aliados.

Os aliados receberam um reforço decisivo, com a entrada dos Estados Unidos na Guerra. O país enviou 2,1 milhões de soldados, o que permitiu novas operações: a Segunda Batalha do Marne e a Ofensiva dos Cem Dias. Esta última ação contou com seiscentos tanques de guerra e o apoio de oitocentos aviões. As ofensivas resultaram no colapso das forças germânicas, já esgotadas após quatro anos de luta.

Apesar da estagnação em que permaneceu ao longo de todo o conflito, a Frente Ocidental foi decisiva. Com a ajuda dos Estados Unidos, o avanço inexorável dos aliados em 1918 convenceu os líderes militares alemães de que a derrota era inevitável. A constatação levou os alemães a buscar o armistício.

O primeiro avião sérvio armado para combate (1915).

GUERRA NOS BÁLCÃS

A invasão da Sérvia pelo Império Austro-Húngaro foi o fator que precipitou a Primeira Guerra Mundial – o estopim do conflito, já que todas as potências envolvidas tinham graves diferenças a ajustar. A Áustria e a Rússia eram potências atrasadas, que ainda não haviam se industrializado plenamente. Dessa forma, não estavam tão preparadas, como a Grã-Bretanha, França e Alemanha, para lutar uma guerra industrial, como foi a Grande Guerra. A Áustria-Hungria precisava do apoio alemão, mas o auxílio do Kaiser se deu ao segurar os franceses e britânicos, impedindo-os de intervir nas ações da Áustria, deixando que esta enfrentasse, sozinha, as frentes Oriental e Sul. Isto significava enfrentar a Sérvia e a Rússia e, na Frente Sul, a Itália.

Tendo de combater a Rússia, a Áustria-Hungria só pôde empregar um terço do seu contingente militar para atacar a Sérvia. As províncias austro-húngaras da Eslovênia, Croácia e Bósnia forneceram homens para o Exército Imperial e ajudaram na invasão da Sérvia e na luta contra os italianos e russos.

Depois de sofrer pesadas baixas na Batalha de Cer, logo no início da invasão, os austríacos ocuparam brevemente Belgrado, a capital sérvia. Essa primeira fase da campanha foi rápida, levando pouco mais de um mês para os austro-húngaros conquistarem o país. Contavam com o apoio da Bulgária, que havia enviado seiscentos mil homens. Contudo, os sérvios contra-atacaram na Batalha de Kolubara, vencendo os austríacos no final de 1914.

A Batalha de Cer

A Batalha de Cer, por vezes chamada de Batalha de Jadar, foi travada logo no início das hostilidades, em agosto de 1914, quando a Áustria-Hungria invadiu a Sérvia. O palco do conflito foram as vilas e aldeias próximas ao Monte Cer, a cem quilômetros de Belgrado.

A batalha começou na noite de 15 de agosto, quando membros da 1ª Divisão Combinada sérvia atacaram postos avançados austro-húngaros, que haviam sido estabelecidos nos pés do Monte Cer, em preparação à invasão. O ataque acabou se tornando uma batalha pelas aldeias ao redor da montanha, especialmente pela vila de Sabac. Nos céus do Monte Cer foi travada a primeira batalha aérea da guerra – e, também, a primeira da história. O encontro foi um tanto prosaico. Um aviador sérvio, um certo Miodrag Tomic, fazia reconhecimento aéreo sobre as posições inimigas, quando cruzou com um avião austro-húngaro. O piloto acenou, e Tomic respondeu a saudação. Contudo, o piloto austro-húngaro sacou seu revólver e começou a disparar contra o sérvio. Tomic conseguiu escapar. O episódio, porém, levou a uma inovação: em poucas semanas, todos os aviões, tanto dos aliados como dos Poderes Centrais, foram equipados com metralhadoras, inicialmente acima das asas.

Os sérvios defenderam seu território com tenacidade. A moral das tropas invasoras caiu. No dia 19 de agosto, os austro-húngaros bateram em retirada, tentando retornar à sua zona de controle. Contudo, muitos morreram na fuga, especialmente na tentativa de cruzar o rio Drina, onde centenas de soldados se afogaram.

Em 24 de agosto, os sérvios tomaram Sabac, concluindo a batalha depois de dez dias de luta. Os defensores tiveram entre três e cinco mil mortos e cerca de quinze mil feridos. Quanto aos austro-húngaros, o número foi maior: entre seis e dez mil baixas, trinta mil feridos e 4,5 mil capturados. Cer marcou a primeira vitória dos aliados sobre os Poderes Centrais.

A Batalha no Rio Kolubara

No final de 1914, os sérvios conquistaram outra importante vitória. A Batalha de Kolubara foi uma das mais importantes para os aliados, pois as forças sérvias conseguiram expulsar os austro-húngaros de seu território. O confronto aconteceu depois da Batalha do Drina, entre setembro e outubro de 1914. Após a derrota em Cer, os austro-húngaros voltaram a atacar, nas margens do rio Drina, forçando os sérvios a

GUERRA NOS BÁLCÃS

ceder território. Os sérvios reagruparam-se na margem direita do rio Kolubara. Eram 250 mil soldados mal equipados enfrentando 450 mil austro-húngaros bem equipados e bem abastecidos.

Em 16 de novembro, o comandante dos 5º e 6º Exércitos Austro-Húngaros, General Oskar Potiorek (1853 – 1933), governador da Bósnia e Herzegovina e que estava no carro com o arquiduque Francisco Ferdinando quando ele foi assassinado, ordenou um ataque, a partir da margem oposta do Kolubara, para capturar uma linha ferroviária que permitiria abastecer suas tropas mais rapidamente. Suas manobras rechaçaram os 1º e 2º Exércitos sérvios, colocando-os numa situação difícil.

O comandante do 1º Exército Sérvio, General Zivojin Misic (1855 – 1921), o mais brilhante militar sérvio e que participara de todas as guerras empreendidas pelo país entre 1876 e 1918, planejou retirar-se até a cidade de Gornji Milanovac, na Sérvia Central, onde pretendia adiar a batalha até seus homens estarem refeitos e reabastecidos. Então, lançaria uma contraofensiva. Para tanto, a capital da Sérvia, Belgrado, teve de ser abandonada ao inimigo.

Potiorek entendeu a manobra dos sérvios como um sinal de fraqueza e lançou um ataque com todo o seu 5º Exército com a intenção destruir o 2º Exército Sérvio, enquanto este deixava Belgrado. O 1º Exército de Misic, porém, veio em socorro das forças sérvias, aniquilando as exauridas tropas austro-húngaras. A partir de 5 de dezembro, os sérvios foram reconquistando as posições tomadas pelo invasor. Potiorek ordenou a retirada. Belgrado foi abandonada pelos austro-húngaros em 15 de dezembro.

Os sérvios capturaram 76 mil soldados inimigos e causaram um número ainda maior de baixas. Além disso, na retirada, o exército invasor abandonou grande quantidade de armas e equipamentos. Nas batalhas daquele ano de 1914, os austro-húngaros perderam um total de 224,5 mil homens (dos cerca de 450 mil envolvidos nos conflitos), enquanto o exército sérvio perdeu 170 mil.

O MUNDO EM GUERRA

As vitórias sérvias marcaram as primeiras dificuldades para os Poderes Centrais. A Áustria-Hungria contava invadir rapidamente a Sérvia para destinar mais recursos bélicos para a Frente Russa. Contudo, tendo de dividir suas forças, a Áustria-Hungria se enfraqueceu logo no início das hostilidades. De fato, segundo a enciclopédia *The European Powers in the First World War,* organizada por Spencer Tucker (Taylor & Francis, Abingdon, 1999), por ter dividido os austríacos, a vitória dos sérvios no começo do conflito foi uma das mais importantes não só de toda a Primeira Guerra, mas de todo o século XX.

Nos anos seguintes, porém, os sérvios amargaram o fracasso. O exército sérvio combatia em duas frentes, enfrentando a derrota certa. Por conta disso, os sérvios se retiraram para o norte da Albânia, a qual haviam invadido no começo da guerra. Mas o Exército da Sérvia foi derrotado na Batalha de Kosovo. As forças de Montenegro, aliadas da Sérvia, cobriram a retirada das tropas derrotadas em direção à Costa Adriática na Batalha do Mojkovac, em 6 e 7 de janeiro de 1916. Os sérvios foram reduzidos a um contingente de apenas setenta mil homens, os quais foram evacuados de navio para a Grécia.

Depois da conquista, a Sérvia foi dividida entre a Áustria-Hungria e a Bulgária. Em 1917, os sérvios lançaram a Rebelião de Toplica e libertaram, por um breve período, uma área entre as montanhas Kopaonik, na parte central do país, e outra no rio Morava. O esforço foi, porém, esmagado pelas ações conjuntas de forças austríacas e búlgaras, no final de março de 1917.

O Front Macedônico

Para ajudar os sérvios na sua luta contra os Poderes Centrais, os aliados lançaram, no outono de 1915, um ataque combinado contra a Alemanha, Áustria-Hungria e Bulgária, abrindo a Frente Macedônica, ou Frente Salonica.

A Frente Macedônica foi, no começo da guerra, mais estática. Forças francesas e sérvias promoveram a Ofensiva de Monastir, que se prolongou por três meses. A intenção da ofensiva era forçar a capitulação da Bulgária e da Romênia. Os aliados acabaram penetrando cinquenta quilômetros no território macedônico e pararam ao tomar a cidade de Monastir (hoje, Bitola), um centro administrativo, industrial, comercial e cultural do Sudoeste do país, e retomaram algumas áreas da Macedônia. Embora, em termos territoriais, a conquista não fosse expressiva, a ofensiva teve resultado significativo.

Apesar de a ajuda aliada ter chegado tarde demais para salvar a Sérvia, tiveram sucesso em estabelecer uma frente que se estendia pela Costa Adriática da Albânia até o rio Struma, já em território búlgaro, de onde uma força aliada multinacional pôde combater a Liga dos Poderes Centrais.

Finalmente, com o esgotamento dos recursos materiais e humanos da Alemanha e da Áustria-Hungria, os aliados lançaram uma grande ofensiva em setembro de 1918, que resultou na capitulação da Bulgária e na libertação da Sérvia.

Tropas francesas e sérvias infligiram aos búlgaros sua única derrota na Primeira Guerra, em 15 de setembro de 1918, na Batalha de Dobro Pole, na Macedônia que estava ocupada pelos búlgaros desde 1915.

A Bulgária, porém, não se rendeu. Poucos dias depois da derrota em Dobro Pole, suas forças venceram tropas britânicas e gregas na Terceira Batalha de Doiran, travada entre 18 e 19 de setembro de 1918. Apesar de os búlgaros conseguirem repelir todos os ataques dos gregos e britânicos ao 1º Exército Búlgaro, nas proximidades do lago Doiran, impendido os aliados, mesmo que momentaneamente, de ocupar seu país, tiveram de abandonar a posição. No lance seguinte da campanha, os sérvios acabaram rompendo as linhas búlgaras, obrigando a Bulgária a capitular, o que aconteceu em 29 de setembro de 1918.

Era o fim do Front Macedônico. De acordo com o site russo *Militera*, a rendição da Bulgária implicava que os Poderes Centrais contassem, agora, com menos 278 batalhões de infantaria e com 1500 canhões a menos. A estrada de Viena para Berlim estava sendo aberta. Os Poderes Centrais começavam a cair.

Militar turco na época da Grande Guerra.

O TEATRO DE GUERRA DO ORIENTE MÉDIO

A Primeira Guerra Mundial arrastou para o conflito um dos maiores impérios da época, o Otomano, que reinava desde 1299 d.C., um dos mais duradouros da História. O Estado Eterno, conforme se autoproclamava, foi, nos séculos XVI e XVII, um dos impérios mais poderosos do mundo, estendendo-se dos arredores de Viena, na Áustria, ao norte, até o Iêmen e a Eritreia, ao sul, e da Argélia, a leste, até o Azerbaijão, a oeste.

Em agosto de 1914, o governo turco assinou um tratado secreto com a Alemanha, firmando a Aliança Teuto-Otomana. O tratado ameaçava os territórios caucasianos da Rússia e a comunicação da Grã-Bretanha com sua principal colônia, a Índia, fechando a rota via Canal de Suez.

Nos bastidores, a França e a Rússia moveram esforços diplomáticos para manter o Império Otomano fora da guerra. A Alemanha, por outro lado, fazia o contrário. Foi, de fato, um incidente provocado pelos alemães que fez os otomanos entrarem no conflito ao seu lado.

Em 1914, dois navios germânicos, o Goeben e o Breslau, estavam sendo perseguidos pela marinha britânica no Mediterrâneo e conseguiram escapar do cerco, passando pelo Estreito de Dardanelos

O MUNDO EM GUERRA

e indo se refugiar na Turquia. Os britânicos não puderam continuar a perseguição e as tensões entre Londres e Constantinopla aumentaram a ponto de os otomanos declararem guerra contra as Potências Aliadas.

O teatro no qual o Império Otomano se envolveu foi o do Oriente Médio, onde enfrentou principalmente os russos e os britânicos. Os franceses e os britânicos moveram a Campanha de Galípoli, em 1915, e da Mesopotâmia, no ano seguinte. Em Galípoli, os otomanos foram bem-sucedidos e rechaçaram os britânicos, os franceses e as forças compostas por australianos e neozelandeses.

Entre março de 1915 a abril de 1916, o exército otomano cercou a cidade de Kut, a 160 quilômetros de Bagdá, onde estava estacionada uma guarnição anglo-indiana com oito mil homens. Os britânicos não puderam vencer o cerco e ofereceram dois milhões de libras esterlinas – uma fortuna na época – e a promessa de que aqueles homens não combateriam novamente se lhes fosse dada a liberdade. A proposta foi rejeitada. Os britânicos tentaram ainda conseguir ajuda dos russos, mas também sem sucesso. Assim, tiveram de se render. Os prisioneiros foram conduzidos a uma prisão em Alepo, na Síria. No entanto, depois do Cerco de Kut, os britânicos se reorganizaram e conseguiram recapturar Bagdá, em março de 1917.

Na Frente Ocidental do teatro do Oriente Médio, os aliados suportaram os ataques otomanos de 1915 e 1916. Em agosto de 1916, uma força formada por germânicos e otomanos foi derrotada na Batalha de Romani. Depois dessa vitória, a Força Expedicionária Egípcia do Império Britânico avançou através da Península do Sinai, infligindo derrotas ao exército otomano nas Batalhas de Magdhaba (23 de dezembro de 1916) e de Rafa (9 de janeiro de 1917), no Sinai egípcio e na Palestina otomana.

A Revolta Árabe, iniciada em 1916 e fomentada pelos britânicos, libertou a Península Arábica do jugo otomano. Diversas tribos

O TEATRO DE GUERRA DO ORIENTE MÉDIO

nômades lideradas por Hussein bin Ali e apoiadas pelos britânicos acabaram por tomar Meca. Embora os árabes tenham conseguido a independência dos otomanos, o plano de bin Ali de fundar um Estado árabe único não se realizou.

No Cáucaso, os otomanos enfrentaram os russos. Enver Pasha, o comandante supremo das Forças Armadas Otomanas, sonhava em reconquistar as áreas da Ásia Central que haviam sido perdidas para a Rússia. Apesar da ambição, Pasha fracassou logo no início do conflito. Em seu livro *A Peace to End All Peace: The Fall of the Ottoman Empire and the Creation of the Modern Middle East* (Henry Holt, Nova York, 1989), David Fromkin afirma que a derrota se deveu à falta de talento de Pasha como estrategista. Entre 22 de dezembro de 1914 e 17 de janeiro de 1915, na Batalha de Sarikamish, Pasha lançou um ataque frontal contra as forças russas posicionadas em terreno montanhoso, em pleno inverno. O resultado foi catastrófico. Pasha perdeu 86% do seu contingente.

O comandante russo de 1915 a 1916, general Nikolai Yudenich, expulsou os turcos do sul do Cáucaso com uma série de vitórias. Em 1917, o grão-duque Nicolau Nikolaevich assumiu o comando da frente caucasiana. Ele planejava construir uma ferrovia através da Geórgia para abastecer as tropas para uma ofensiva final, em 1917. Contudo, em março de 1917, o czar foi deposto na Revolução de Março e a Rússia saiu da guerra pouco depois.

A derrota na Primeira Guerra precipitou o fim do Império Otomano, que veio a se dissolver em 1923. A nação derrotada assinou o Tratado de Sèvres que determinou os termos de partição do Império Otomano. O território cedido pelo antigo Império constitui, atualmente, trinta e nove Estados, inclusive Israel, por conta de uma manobra dos britânicos que, em troca de apoio contra os turcos, prometeram ajudar os judeus a fundar uma pátria ao mesmo tempo em que prometiam a mesma coisa aos palestinos.

O sultão Mehmed V da Turquia recebe o Kaiser Guilherme II em sua chegada a Constantinopla.

A GUERRA NA ÁSIA E NO PACÍFICO

No teatro da Ásia e no Pacífico, a Grande Guerra se desenvolveu em torno da conquista das colônias alemãs no Pacífico e na China. Ao contrário da Segunda Guerra Mundial, que viu na Ásia e no Pacífico algumas das campanhas mais encarniçadas do conflito, na Primeira Guerra, o Front Asiático foi palco de campanhas curtas e rápidas.

A ação militar mais significativa foi o bem planejado e bem executado Cerco de Tsingtao (hoje, Qingdao), um porto estratégico na China Oriental. O cerco foi empreendido por tropas japonesas e britânicas, entre 31 de outubro de 7 de novembro de 1914. Foi a primeira vez que alemães e japoneses combateram uns contra os outros e, também, a primeira vez que tropas britânicas e japonesas colaboraram numa ação conjunta. Batalhas menores também aconteceram na Nova Guiné alemã.

As batalhas navais, porém, foram comuns. Todas as potências coloniais tinham esquadras estacionadas nos oceanos Índico e Pacífico que apoiaram as tropas aliadas na invasão dos territórios alemães. Essas esquadras foram responsáveis pela destruição da Esquadra Alemã da Ásia Oriental, a maior formação naval germânica fora da Alemanha. De resto, todas as possessões germânicas e austríacas na Ásia e no Pacífico caíram sem derramamento de sangue.

Uma as primeiras ofensivas terrestres no teatro do Pacífico foi a ocupação por forças neozelandesas da Samoa alemã, em agosto de 1914. Essa campanha foi, na verdade, apenas um passeio. O território se rendeu depois do desembarque de mil soldados neozelandeses apoiados por esquadras australianas e francesas, sem qualquer ensaio de defesa por parte dos alemães.

No mês seguinte, em setembro de 1914, forças australianas atacaram a Nova Guiné alemã. Nesse caso houve certa resistência. Quinhentos soldados australianos enfrentaram trezentos alemães e policiais coloniais na Batalha de Bita Paka. Na luta, sete australianos foram mortos e cinco feridos. Do outro lado, um alemão foi abatido e trinta nativos pereceram. Os aliados venceram a batalha e os alemães se retiraram para a ilha de Toma. Contudo, uma companhia australiana apoiada por um navio de guerra britânico cercou os rebeldes, os quais se renderam sem derramamento de sangue. Apenas uma expedição comandada por Hermann Detzner, um oficial da força de segurança colonial alemã, conseguiu ludibriar as patrulhas australianas e continuou no interior da ilha sem se render até o final da guerra.

Batalhas Navais

Logo no início da guerra, a Esquadra Alemã da Ásia Oriental saiu da sua base no porto chinês de Tsingtao, na tentativa de cruzar o Pacífico de volta à Europa, a fim de apoiar a esquadra principal. Em seu caminho através do Pacífico, essa força naval atacou diversos alvos aliados. Alguns cruzadores da frota foram designados para atacar a estação radiotelegráfica da ilha de Fanning, em Kiribati, no meio do Oceano Pacífico. As forças navais alemãs também atacaram Papeete, na Polinésia Francesa, afundando dois cruzadores blindados franceses e um cargueiro, antes de bombardear as baterias terrestres instaladas na colônia.

A mesma frota, comandada pelo almirante Maximilian von Spee (1861 – 1914), enfrentou, em seguida, uma esquadra britânica

A GUERRA NA ÁSIA E NO PACÍFICO

enviada para interceptar a Esquadra Alemã da Ásia Oriental. A Batalha Naval de Coronel foi travada próxima da costa chilena em 1 de novembro de 1914. Mais uma vez, von Spee teve sucesso. Os alemães venceram os ingleses, destruindo dois cruzadores da Marinha Real e forçando o resto da esquadra a bater em retirada. Mais de mil e quinhentos marinheiros britânicos pereceram, todos os que estavam a bordo dos dois cruzadores afundados. No mês seguinte, dezembro de 1914, a Esquadra Alemã da Ásia Oriental seria destruída quase completamente na Batalha Naval das Malvinas. O almirante von Spee afundou com sua Nau Capitânia, o SMS Scharnhorst. Os únicos navios que sobreviveram à batalha foram o cruzador Dresden e o vaso auxiliar Seydltiz. Enquanto a tripulação do último rumou para a Argentina, que era neutra, o Dresden continuou a atacar navios cargueiros aliados até ser capturado pelos britânicos em águas chilenas.

A guerra naval no Pacífico continuou, porém. Von Spee havia deixado o cruzador rápido SMS Emden na retaguarda. O navio venceu a Batalha de Penang, em 28 de outubro de 1914, no Estreito de Malaca. Na luta, o SMS Emden afundou um cruzador russo e um destróier francês. Em seu caminho, o cruzador destruiu trinta navios mercantes e bombardeou a cidade de Madras, na Índia, destruindo tanques de óleo britânicos e causando pânico na população. O ataque provocou uma emigração em massa das cidades costeiras, temendo-se que os alemães fossem invadir a Índia. Mas a invencibilidade do cruzador não durou muito. O Emden foi finalmente destruído por um cruzador rápido australiano, o HMAS Sydney, na Batalha de Cocos, em 9 de novembro de 1914. Contudo, um grupo de marinheiros, sob o comando do primeiro-tenente e oficial executivo do Emden, Hellmuth von Mücke, conseguiu escapar para territórios otomanos, aliados dos alemães, na Península Árabe.

O Dreadnought Texas, da Marinha dos EUA.

OPERAÇÕES NAVAIS

As ofensivas no mar durante a Primeira Guerra Mundial se caracterizaram principalmente pelos esforços das potências aliadas, as quais tinham maior poderio naval e maior abrangência geográfica, no sentido de bloquear as potências centrais pelo mar. Do lado dos alemães e austro-húngaros, a estratégia consistia em tentar romper o bloqueio dos aliados e, destruindo navios mercantes, restringir seu abastecimento – estratégia esta que acabou provocando a entrada dos Estados Unidos e do Brasil no conflito.

Muitos historiadores escreveram sobre a corrida entre a Grã-Bretanha e a Alemanha na construção de navios de guerra. Alguns desses autores afirmam que a ação dos alemães para equipararem sua marinha de guerra à dos britânicos foi a causa das animosidades entre essas potências, tão próximas culturalmente e etnicamente que os soberanos eram, até mesmo, parentes. De fato, a família real britânica tem suas origens na nobreza alemã. Tanto que o kaiser Wilhelm II, o imperador alemão, era neto da rainha Vitória e sobrinho do rei Eduardo VII. Na verdade, se fosse depender da vontade de seus reis, a Alemanha e a Grã-Bretanha nunca teriam lutado uma contra a outra. De acordo com o escritor Patrick Buchanan, em seu livro *Churchill, Hitler and the Unnecessary War* (Crow Forum, Nova York, 2009), o kaiser Guilherme II era declaradamente contra o combate à Grã-Bretanha.

Os líderes alemães desejavam ter uma marinha que condissesse com seu poderio militar e econômico. Isso os livraria da incômoda dependência da boa vontade britânica com relação ao comércio exterior e às suas possessões coloniais. Sabiam, porém, que uma marinha dessas proporções ameaçaria os domínios comerciais e o próprio Império Britânico.

A corrida pelo aumento da frota naval começou nos primeiros anos do século XX. O episódio que disparou o processo foi uma crise diplomática sobre o status colonial do Marrocos. A Primeira Crise do Marrocos se estendeu de março de 1905 a maio de 1906, quando a Alemanha tentou usar as discussões sobre a independência do Marrocos para turvar as relações entre a França e a Grã-Bretanha e, ao mesmo tempo, garantir os interesses germânicos no país norte-africano. Embora a posição alemã tenha assegurado a independência do Marrocos e seus interesses comerciais, o feitiço acabou voltando contra o feiticeiro. As relações que se deterioraram foram aquelas entre a Alemanha, de um lado, e a Grã-Bretanha e França, de outro. Desse modo, foi dada a largada para a corrida armamentista.

Por volta de 1914, a Alemanha já possuía a segunda maior marinha de guerra do mundo, ficando atrás apenas da Grã-Bretanha. As outras potências tinham frotas de guerra menores, compostas principalmente de embarcações pequenas como destróieres e submarinos.

Os Teatros da Guerra Naval

Durante a Primeira Guerra Mundial, o conflito naval se concentrou no Mar do Norte e no Atlântico. As batalhas navais que ocorreram no Pacífico foram promovidas pela Esquadra Alemã da Ásia Oriental, quando esta zarpou da sua base no porto chinês de Tsingtao, na tentativa de cruzar o Pacífico de volta à Europa para apoiar a esquadra principal. A esquadra foi desbaratada, como vimos, embora tenha infligido destruição e baixas por onde passou.

OPERAÇÕES NAVAIS

O Mar do Norte foi o maior teatro de guerra naval no que diz respeito às ações de superfície, e o Atlântico foi palco da sangrenta campanha dos submarinos alemães, os *U-boats*. A esquadra britânica, maior que a germânica, conseguiu manter um bloqueio, impedindo os alemães de obterem recursos do exterior. Por conta disso, a frota de guerra do Kaiser ficou ancorada durante a maior parte do tempo, protegida por tapetes de minas aquáticas. Ocasionalmente, os alemães conseguiram atrair os britânicos para combates navais, tentando enfraquecê-los para conseguirem romper o bloqueio. Uma dessas tentativas foi o bombardeio das bases de Yarmouth e Lowestoft, na costa Inglesa, em 24 de abril de 1916. As bases não eram pontos estratégicos. O plano dos alemães era atrair outros barcos em socorro das duas cidades costeiras, os quais seriam atacados por forças navais alemãs que os emboscariam no caminho. Isso, porém, não aconteceu e a batalha acabou não tendo o impacto pretendido.

As principais batalhas do teatro naval do Mar do Norte foram as duas de Heligoland Bight (28 de gosto de 1914 e 17 de novembro de 1917), Dogger Bank (24 de janeiro de 1915) e da Jutlândia (31 de maio e 1 de junho de 1916). Em geral, os britânicos foram bem-sucedidos em manter, com sua marinha, o bloqueio comercial aos alemães – embora a custo de ter de deixar seus principais navios no Mar do Norte sem poder utilizá-los em outras frentes importantes. Com efeito, o bloqueio do comércio alemão no Mar do Norte resultou na perda de recursos que os impediu de ganhar a guerra.

O teatro do Atlântico era o reverso da medalha. Aqui, eram os submarinos alemães, os *U-boats*, que caçavam cargueiros e navios mercantes destinados a reabastecer a Grã-Bretanha. Os *U-boats* afundaram centenas de navios mercantes aliados, resultando em milhares de mortes de civis, especialmente quando o alvo era navios de passageiros, além de violar a Convenção de Haia

O MUNDO EM GUERRA

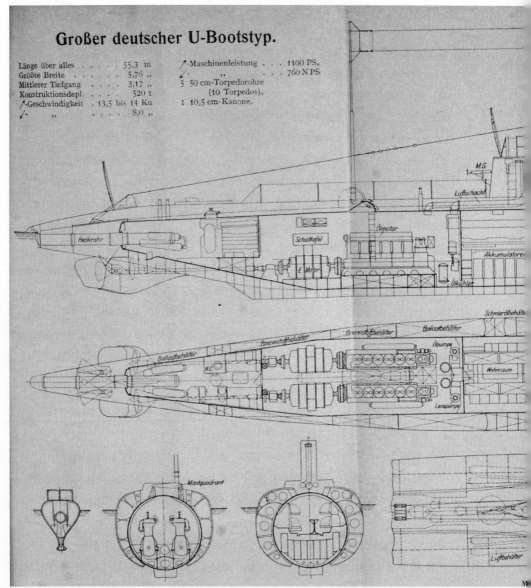

Shutterstock/ Mastering_Microstock

(1899 e 1907), uma das primeiras declarações formais de direito internacional sobre crimes de guerra. Devido à dificuldade de identificação, os *U-boats* também acabavam afundando navios de países neutros que estavam nas áreas de bloqueio. Isso levou nações como o Brasil e os Estados Unidos a entrarem na guerra

OPERAÇÕES NAVAIS

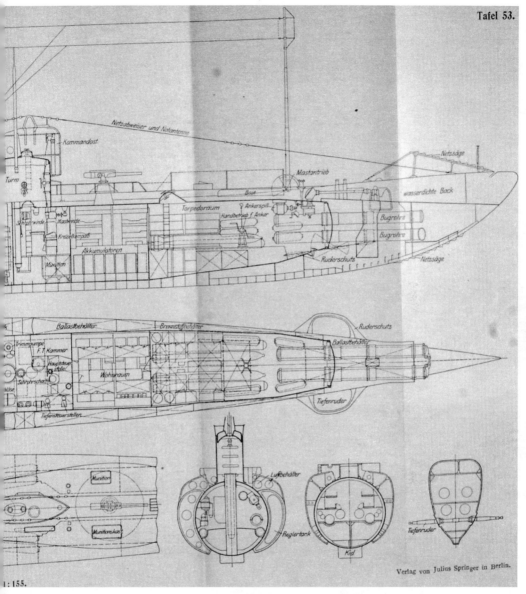

Diagrama de um U-boat alemão da Primeira Guerra.

contra a Alemanha. A campanha alemã pode ser considerada bem-sucedida, uma vez que acabou destruindo metade da frota mercante britânica.

Trincheira russa durante a Batalha de Sarikamish (1914 – 1915).

RÚSSIA: DA GUERRA À REVOLUÇÃO

Em 1917, a Rússia estava exaurida pelos conflitos internos e pela sua participação na Primeira Guerra Mundial. A população oprimida sofria com o conflito e com os problemas internos. A Rússia ainda era um país atrasado, não industrializado. Os russos de todas as classes sociais pressionavam para que fossem empreendidas as mudanças necessárias à modernização do país. Assim, em fevereiro daquele ano, o czar Nicolau II foi deposto pela Revolução de Fevereiro, e um governo provisório se instalou na Rússia.

Os alemães acreditavam que a volta à Rússia de Vladimir Lênin (1870 – 1924), líder oposicionista que havia cumprido pena na Sibéria e se exilado na Suíça, poderia tirar o país do conflito, aliviando o esforço de guerra da Alemanha. Assim, sem a ameaça do czar e patrocinado pelos inimigos germânicos, o líder revolucionário voltou ao país.

Quando o líder do movimento bolchevique chegou a Moscou, em abril de 1917, começou imediatamente a tramar contra o governo revolucionário. Através das suas Teses de Abril, fomentou a oposição ao governo provisório. Nessa época, Lênin também terminou de escrever seu livro *Estado e Revolução*, que propunha uma nova forma de governo baseado em conselhos de trabalhadores, os Sovietes, eleitos e destituídos a qualquer momento pelos operários.

O MUNDO EM GUERRA

Poucos meses depois do retorno, Lênin liderou a Revolução de Outubro – na verdade, um golpe de Estado. Inspirados pelo lema "todo o poder aos Sovietes", criado por Lênin, os bolcheviques derrubaram o governo provisório em 8 de novembro de 1917, marcando o nascimento do regime soviético. Nessa mesma data, Lênin foi eleito presidente do Conselho dos Comissários do Povo pelo Congresso dos Sovietes. Uma nova página na história política da humanidade – o regime comunista – era inaugurada.

A Rússia estava enfraquecida pelas crises internas e pela sua participação no conflito internacional que grassava na Europa. Para realizar os planos de recuperação e desenvolvimento econômico e social, os quais incluíam um sistema de saúde gratuito para toda a população, assegurar os direitos das mulheres e acabar com o analfabetismo, o novo governo bolchevique tinha, antes, de tirar a Rússia da Primeira Guerra Mundial. Para tanto, Lênin acabou assinando o desvantajoso Tratado de Brest-Litovski, sob o qual a Rússia perdia importantes territórios. A insatisfação que se seguiu lançou a Rússia numa luta fratricida.

A Rússia se dividiu e, durante os três anos seguintes, foi lavada pelo sangue de seu próprio povo, derramado na guerra civil que resultou do golpe. Movidos por uma insanidade sanguinária, os exércitos Branco e Vermelho se engalfinharam, perpetrando massacres e espalhando terror por todo o país. A guerra civil semeou morte e fome em toda a já depauperada Rússia, mas Lênin agiu com obstinada frieza diante do sofrimento de seus compatriotas. Qualquer oposição era duramente reprimida pelo fundador da União Soviética.

Em 30 de agosto de 1918, Fanya Kaplan, filiada ao Partido Revolucionário Socialista, aproximou-se de Lênin depois de um discurso. O líder bolchevique estava indo para o carro que o esperava e, ao descer do palanque, parou para conversar com uma mulher. Fanya chamou seu nome e, quando Lênin virou para responder, ela disparou três tiros: o primeiro atingiu o braço do idealizador

RÚSSIA: DA GUERRA À REVOLUÇÃO

da Revolução Soviética e o segundo, mais sério, alojou-se entre o maxilar e o pescoço. A terceira bala acertou a mulher que conversava com o ditador. Embora Lênin não tenha morrido em consequência do ataque, sua saúde ficou profundamente comprometida. O atentado teve outra implicação, o início do "Terror Vermelho".

A tentativa de assassinar Lênin e o assassinato do chefe da polícia secreta de Petrogrado, Moisei Uritski levou Josef Stalin a propor a Lênin uma "política sistemática de terror". Lênin concordou e, em 1 de setembro de 1918, o jornal do partido bolchevique, o Krasnaya Gazeta, anunciou oficialmente o que os inimigos do novo governo podiam esperar. Os suspeitos eram torturados, espancados, mutilados ou executados. Alguns eram fuzilados, outros, afogados, enterrados vivos ou retalhados por espadas. Geralmente, as vítimas tinham de cavar sua própria sepultura.

No final da guerra civil, os bolcheviques saíram vitoriosos e assumiram o controle total do país. Lênin não tardou em aplicar reformas para a nova nação. Quando seus esforços para transformar a economia russa de acordo com o modelo socialista fracassaram, o ditador introduziu sua Nova Política Econômica, a qual ainda incorporava características da iniciativa privada e que continuou por alguns anos depois da morte de Lênin.

Em 1922, o ditador soviético sofreu um derrame, do qual nunca se recuperou totalmente. Muitos acreditam que o acidente vascular foi consequência da bala alojada em seu pescoço, que nunca pôde ser removida. Durante seus últimos anos, Lênin se preocupou com a burocratização do regime e com a crescente concentração de poder nas mãos de Josef Stalin, figura proeminente do Partido Comunista e que viria a substituí-lo à testa do Estado soviético.

Lênin morreu em 21 de janeiro de 1924, vítima de mais um derrame. Seu corpo foi embalsamado e colocado num mausoléu na Praça Vermelha, em Moscou.

Soldado americano em uniforme da Primeira Guerra.

AS OFENSIVAS FINAIS

Em dezembro de 1916, depois de dez meses brutais que se arrastaram nos combates que passaram para a história com o nome de Batalha de Verdun e da ofensiva contra a Romênia, os alemães já sentiram o peso da guerra. Tentando minimizar as consequências, buscaram negociar a paz enquanto ainda tinham trunfos.

O presidente americano Woodrow Wilson se ofereceu para intermediar as conferências. Para tanto, pediu que as nações beligerantes estabelecessem suas exigências. O Gabinete de Guerra britânico entendeu as ofertas dos alemães como um truque para dividir os aliados e, considerando que os Estados Unidos estavam prestes a entrar na guerra, uma vez que seus navios cargueiros e de passageiros haviam sido afundados por *U-boats* alemães – resultando em milhares de civis mortos –, não respondeu de imediato aos esforços do presidente Wilson.

Berlim propôs, então, um debate direto, uma reunião onde representantes das potências em guerra pudessem colocar frente a frente suas demandas. Os aliados exigiram compensações para a França, a Rússia e a Romênia. Reivindicaram, também, a independência de regiões da Itália, da Romênia, da Tchecoslováquia e do Império Austro-Húngaro, além da criação de uma Polônia livre e unificada. Os alemães, por sua vez, não apresentaram propostas, tampouco retiraram seus exércitos dos territórios ocupados ou pagaram qualquer indenização.

Força Adicional

No início da guerra, os Estados Unidos adotaram uma política de não intervenção, evitando o conflito, ao mesmo tempo em que buscavam promover a paz. Contudo, o ataque a navios de carga e de passageiros pelos submarinos alemães fizeram, finalmente, os Estados Unidos entrarem na guerra em 1917 contra os Poderes Centrais. O presidente Wilson já havia sinalizado ao Kaiser que os EUA interviriam quando, em maio de 1917, o navio britânico RMS Lusitania foi afundado por *U-boats*, matando, entre os passageiros, 148 americanos. Mas os alemães continuaram a interceptar suprimentos para a Grã-Bretanha, causando grande número de vítimas civis de várias nacionalidades. Como resultado, os americanos entraram na guerra, enviando uma força expedicionária que chegou a mais de 2,8 milhões de homens sob o comando do general John J. Pershing.

Pouco antes da entrada dos Estados Unidos no conflito, sabendo que era inevitável que esse país declarasse guerra à Alemanha, o ministro do Exterior alemão, Arthur Zimmerman, propôs ao México entrar na guerra ao lado dos Poderes Centrais. De acordo com Barbara Tuchman, que contou essa história no livro *The Zimmerman Telegram* (Penguin, Londres, 1985), como compensação, os germânicos financiariam a despesas do México no conflito e ajudariam o país a recuperar territórios tomados pelos Estados Unidos no Texas, no Novo México e no Arizona. Foi a gota d'água para os americanos.

Ao saber do telegrama e depois de os alemães afundarem sete navios mercantes americanos, a opinião pública apoiou a decisão do presidente Wilson e os Estados Unidos declararam guerra à Alemanha e ao Império Austro-Húngaro.

Os Estados Unidos não foram um membro formal dos aliados, mas, sim, uma "potência associada". Até então, o exército americano

AS OFENSIVAS FINAIS

era pequeno. No entanto, depois do Ato de Alistamento Seletivo, de 18 de maio de 1917, o país recrutou 2,8 milhões de homens, o que permitiu enviar um contingente de 2,1 milhões de soldados para a Europa. Seu comandante era John J. Pershing.

Com a entrada dos EUA na guerra, tanto os aliados quanto a Alemanha planejaram novas ofensivas, protagonizadas na Ofensiva da Primavera e na Ofensiva dos Cem Dias.

A Ofensiva da Primavera de 1918

Com a entrada dos Estados Unidos na guerra, a Alemanha buscou dar um golpe decisivo na Frente Ocidental. Os alemães perceberam que sua única chance era derrotar os aliados antes da chegada dos enormes recursos em equipamentos e homens que os EUA forneceriam com sua entrada na guerra. Além disso, o exército do Kaiser contava com um adicional de cinquenta divisões que haviam sido liberadas da Frente Oriental, depois da rendição da Rússia.

Para romper as linhas de defesa das forças britânicas e francesas, os alemães conceberam uma ofensiva baseada numa série de ataques simulados que possibilitariam avanços. A Ofensiva da Primavera constituía-se, de fato, de quatro ofensivas simultâneas, cujos codinomes eram *Michael, Georgette, Gneisenau* e *Blücher-Yorck.* O ataque principal era a ofensiva *Michael,* que deveria romper as linhas aliadas, flanquear e derrotar as forças britânicas que estavam estacionadas no rio Somme. Esperava-se, com isso, que os franceses buscassem o armistício. Os outros três ataques simultâneos serviriam para tirar as forças aliadas da ofensiva principal, no Somme.

Os aliados responderam concentrando suas forças nas áreas de maior valor estratégico e deixaram posições sem importância com pouca defesa, para atrair os alemães. O custo humano foi impensável. Soldados aliados eram simplesmente convocados para morrer como isca para os germânicos.

A ofensiva começou no primeiro dia da primavera, em 21 de março de 1918, com um ataque às forças britânicas estacionadas nas proximidades de Amiens, cidade situada a 120 quilômetros ao norte de Paris. Segundo Ian Westwell, autor de *World War I - Day by Day* (Grange Books, Londres, 2000), os alemães avançaram sessenta quilômetros – algo que não acontecia no Front Ocidental desde o começo do conflito.

Os germânicos também usaram novas táticas na ofensiva. Batizado de "Táticas de Infiltração de Hutier", em homenagem ao general Oskar von Hutier, que as desenvolveu, o procedimento se mostrou bem-sucedido. Até então, os ataques eram efetuados por meio de longos bombardeios da artilharia seguidos de assaltos em massa da infantaria. Hutier concebeu um ataque baseado no elemento surpresa. Os bombardeios eram breves e a infiltração era feita por grupos menores em pontos fracos. Depois, a artilharia se encarregava de destruir as posições isoladas.

As tropas de assalto alemãs redefiniram a forma de combate da infantaria. Com a nova tática de ataque, a frente de combate chegou a cento e vinte quilômetros de Paris. Contudo, os alemães não conseguiram enviar, a tempo, suprimentos e reforços à frente de combate, o que atrasou seu avanço. De fato, a velocidade com que penetraram nas linhas inimigas acabou prejudicando a ofensiva, pois as linhas de abastecimento ficaram mais distantes. Além disso, houve greves nas fábricas de armamentos alemãs, o que levou os militares a falarem em "traição".

No final de abril, o perigo da ofensiva alemã tinha retrocedido. Além da falta de suprimentos e armamentos, o exército do Kaiser tinha sofrido pesadas baixas, de modo que não tinha homens o suficiente para defender o território de pouco valor estratégico que conquistara no primeiro mês da ofensiva.

A Segunda Batalha do Marne

Diante das dificuldades que interromperam a Ofensiva da Primavera, o líder militar da Alemanha, Erich Ludendorff (1865 – 1937), planejando expulsar as tropas aliadas da Bélgica, ordenou

AS OFENSIVAS FINAIS

um ataque ao longo do rio Marne. Dessa maneira, ele acreditava poder flanquear e derrotar a Força Expedicionária Britânica, então, a mais experiente da Frente Ocidental.

A batalha começou em 15 de julho de 1918, quando divisões do 1º e 3º Exércitos Alemães, comandados por Bruno von Mudra e Karl von Einen, atacaram o 4º Exército francês, sob Henri Gouraud, apoiados pela 42ª Divisão do Exército dos EUA, em Reims, a 130 quilômetros de Paris.

Depois de três dias de luta, o avanço germânico, que tinha conquistado uma cabeça de ponte sobre o Marne e continuava a avançar, foi detido. Os franceses lançaram quarenta toneladas de bombas nas pontes improvisadas que os alemães tinham construído para atravessar o Marne. Além disso, os franceses aliados receberam um reforço do XXI Corpo do Exército Britânico e mais 85 mil soldados americanos, o que permitiu que revertessem o resultado da batalha. Assim, em 17 de julho, o avanço alemão foi interrompido.

Os aliados não perderam tempo para contra-atacar. No dia seguinte, em 18 de julho, o marechal francês Ferdinand Foch (1851 – 1929), o Supremo Comandante dos aliados e orgulhoso vencedor da Batalha do Marne, lançou uma grande contraofensiva. Os franceses, apoiados por oito divisões americanas e 350 tanques, atacaram as posições de defesa alemãs. Era a primeira vez que os tanques Renault FT viam ação – e mostraram-se muito eficazes.

Embora a força que deteve os alemães em Marne fosse composta de quatro nacionalidades – franceses, britânicos, italianos e americanos (o que dificultava o comando de Foch) –, os americanos se destacaram nos combates. Os ianques, que não estavam exauridos como os europeus depois de anos de duras refregas, elevaram o espírito dos aliados. Talvez a falta de experiência tenha contribuído. Conforme o correspondente do jornal *Chicago Tribune Floyd Gibbons*, citado no livro *Over There: The United States in the Great War* (Norton, Londres, 2000), de

Byron Farwell, "nunca vi homens enfrentarem a morte (em cargas de baioneta) com espírito mais elevado". Deve-se, porém, levar em consideração a verve dos repórteres da época, bem como o fato de ser um americano escrevendo sobre ações de americanos no palco da história mundial.

A Segunda Batalha do Marne foi um banho de sangue. Um "moedor de carne", conforme colocou um observador. Apenas no segundo dia da luta, 19 de julho, 9.334 soldados italianos, de uma força de 24 mil, foram mortos. O sacrifício dos italianos permitiu, porém, que os britânicos se posicionassem e atacassem pelo Vale de Ardre. Sem poder resistir, em 20 de julho, os alemães ordenaram a retirada até as posições que ocupavam antes da Ofensiva da Primavera.

Depois de escaramuças que não trouxeram ganhos para nenhum dos combatentes, os britânicos e franceses voltaram a atacar em massa, repelindo os alemães, que formaram uma linha defensiva 45 quilômetros adiante da área que detinham antes da ofensiva.

O custo da contraofensiva aliada foi caro para os alemães: 29,3 mil soldados do Kaiser foram feitos prisioneiros, 793 canhões e três mil metralhadoras foram capturados e 168 mil homens, mortos. Era o que muitos consideram o começo do fim da Primeira Guerra. Cem dias depois da derrota em Marne – o tempo que durou a ofensiva promovida pelos aliados –, os alemães capitularam.

A Ofensiva dos Cem Dias

Com o fracasso da Ofensiva da Primavera, o alto-comando alemão soube que a guerra não podia ser vencida. Desde o início do conflito já tinham perdido seis milhões de soldados. Além disso, o Império Austro-Húngaro informou aos seus aliados alemães que só teriam condições de continuar a guerra até dezembro daquele ano de 1918.

AS OFENSIVAS FINAIS

Com o bem-sucedido contra-ataque francês que pôs fim à Segunda Batalha do Marne, em 6 de agosto de 1918, os aliados iniciaram aquilo que ficou conhecido como a Ofensiva dos Cem Dias. A Batalha de Amiens foi o primeiro encontro da ofensiva. Apoiada por mais de quatrocentos tanques, uma coalizão de cento e vinte mil homens atacou os alemães com o 1º Exército Francês no flanco direito, o 4º Exército Britânico no esquerdo e uma força formada por australianos e canadenses no centro, infiltrando-se, em apenas sete horas, doze quilômetros em território mantido pelos germânicos.

Com a penetração dos aliados, a moral dos alemães caiu, a ponto de Erich Ludendorff chamar aquele de "Dia Negro do Exército Alemão". Contudo, depois do susto inicial, os alemães reagiram com firmeza e determinação. Os aliados tentaram contornar a linha de defesa, uma vez que tentar rompê-la seria um enorme desperdício de vidas, e conseguiram, de fato, dilacerar as defesas alemãs pelos flancos. A Batalha de Amiens foi concluída em 11 de agosto.

Com a Batalha de Alberton, os aliados, então, lançaram, em 21 de agosto, a segunda fase da campanha. O ataque coordenado entre forças britânicas e francesas pressionou o front de 115 quilômetros sem interrupções durante a última semana de agosto. Em 2 de setembro, os alemães começaram a bater em retirada. Os aliados continuaram o avanço. Apesar de os alemães continuarem a lançar contra-ataques e a lutar com determinação, eles não conseguiram deter a marcha avassaladora do inimigo, bem equipado e numeroso. As posições germânicas caíam uma a uma. Só a Força Expedicionária Britânica fez 30,5 mil prisioneiros na última semana de setembro. Desde o começo de agosto, cerca de cem mil alemães foram aprisionados. As forças alemãs se esfacelavam.

O golpe final na Linha Hindenburg, a linha defensiva alemã, foi a Ofensiva Meuse-Argonne, empreendida por tropas francesas e americanas, em 24 de setembro. Os alemães ainda tentaram resistir desesperadamente, mas, quando, em 29 de setembro, a Bulgária assinou um armistício separado, ficou claro que, sem o apoio do aliado, a Alemanha não conseguiria mais manter suas defesas. Como dificuldade adicional, o exército do Kaiser estava ficando sem suprimentos.

A notícia da derrota iminente se espalhou entre as forças germânicas, que ameaçaram amotinar-se. Alguns marinheiros, ao receberem ordens para uma missão de ataque, a qual julgaram ser suicida, rebelaram-se.

Desde meados de agosto, os alemães estavam tentando uma saída. Sabiam que não conseguiriam resolver o conflito por meio de força militar. No final da Ofensiva dos Cem Dias, o próprio general Erich Ludendorff, líder das Forças Armadas do Kaiser, comentou com um subordinado, "não vamos mais conseguir ganhar a guerra, mas também não podemos perdê-la". Com isso, Ludendorff afirmava que ainda havia a possibilidade de uma saída honrosa, por meio da negociação da paz. Mas, depois de perder seis milhões de homens, a Alemanha já não tinha seu maior trunfo. Seu exército estava em retirada. Os alemães não tinham poder de barganha.

Os aliados recusaram as ofertas de paz dos Poderes Centrais. Entrementes, um governo democrático parlamentar de coalizão tomou posse na Alemanha e o príncipe Maximiliano von Baden se tornou chanceler. Imediatamente, Baden começou a negociar com os aliados. Procurou, primeiro, o presidente americano Woodrow Wilson, com a vã esperança de que os Estados Unidos oferecessem melhores condições que a França e a Grã-Bretanha. Ledo engano. Wilson exigiu a abdicação do Kaiser. Desse modo, sem perda de tempo, o Partido Democrata Alemão anunciou, em 9 de novembro de 1918, que a Alemanha era uma república. Embora houvesse uma revolução, que prosseguiu até agosto de 1919, o Império Alemão sucumbia. Nascia a República de Weimar.

Em 11 de novembro de 1918, a Alemanha assinou o armistício. A Liga dos Poderes Centrais perdia a guerra.

AS OFENSIVAS FINAIS

O Império Austro-Húngaro foi esfacelado pelo tratado de Saint-Germain, que reduziu a Áustria aos seus territórios germânicos, entregando o Trentino e a Ístria à Itália. Ao Reino dos Sérvios, Croatas e Eslovenos, que depois se chamou de Iugoslávia, cedeu a Eslovênia, a Dalmácia, a Croácia e a Bósnia-Herzegovina. À custa de seus domínios tchecos, surgiu um novo Estado: a Tchecoslováquia. De um dos maiores impérios europeus em extensão, a Áustria ficou reduzida a um território de apenas 83.850 km².

À Hungria foi imposto o Tratado de Trianon, o qual a obrigava a ceder a Croácia, a Eslováquia e a Rutênia à Tchecoslováquia, e a Transilvânia à Romênia, fazendo com que o país fosse reduzido a um terço do seu território de 1914. A moral em todo o Antigo Império estava baixa. Anos de luta e de sacrifícios não impediram o inevitável: a fragmentação da enorme colcha de retalhos étnicos, linguísticos, culturais e religiosos, que uma vez tinha constituído o Império dos Habsburgos. A Alemanha também pagou um preço altíssimo pela paz.

A assinatura do Tratado de Versalhes, no Salão de Espelhos.

O TRATADO DE VERSALHES

O armistício entre os aliados e a Alemanha, batizado de "Armistício de Compiègne", foi assinado em 11 de novembro de 1918. No entanto, o tratado de paz, o Tratado de Versalhes, só foi firmado seis meses depois.

Os termos do armistício foram escritos, principalmente, pelo marechal francês Ferdinand Foch e determinavam o fim das hostilidades, a retirada das tropas alemãs para seu território nacional, a preservação das infraestruturas, a troca de prisioneiros de guerra, a promessa de reparos e a rendição de navios de guerra e submarinos ainda em condições de combate.

Um dos pontos mais duros do armistício foi a ocupação da Renânia, região no oeste da Alemanha, ao longo do rio Reno, por tropas belgas, americanas, britânicas e, especialmente, francesas. Os aliados queriam garantir uma linha de isolamento, mantendo as tropas alemãs a, pelo menos, cinquenta quilômetros a leste do Reno.

Para que os termos do Tratado de Versalhes fossem cumpridos, a Renânia seria ocupada por 15 anos. Se a Alemanha não praticasse nenhuma agressão, uma retirada gradual seria iniciada. Depois de cinco anos, o território ao longo do rio Ruhr, ao norte, seria evacuado. Depois de dez anos, seria a vez dos territórios do norte e, finalmente, em quinze anos, todas as forças aliadas deixariam a Alemanha.

O MUNDO EM GUERRA

Agora foi a vez de a população alemã reclamar de maus-tratos por parte dos invasores. Os soldados franceses foram os que mais afrontaram os civis – na verdade, os africanos que serviam no exército colonial. Muitos senegaleses que combatiam pelas cores da França foram acusados de estupro. A direita alemã não tardou a usar o fato contra os invasores, alegando que os estupros de alemãs por africanos era uma forma de humilhar a nação alemã.

Além da ocupação da Renânia, durante o armistício, o bloqueio de bens à Alemanha por parte dos aliados, iniciado nos primeiros momentos da guerra, continuou. Muitos afirmam que o bloqueio foi um dos fatores que permitiu a vitória dos aliados – além de, claro, a entrada dos EUA com mais de um milhão de homens e enorme quantidade de equipamento. O impacto que o boicote teve sobre a população civil foi pesado. Em dezembro de 1918, o Ministério da Saúde Pública da Alemanha afirmou que, até aquela data, 763 mil civis alemães morreram de fome e por falta de remédios. De acordo com o estudo *The Cost of the World War to Germany and Austria-Hungary*, de Leo Grebler, publicado pela Universidade de Yale em 1940, o número de mortes de civis teria sido 424 mil.

Negociações

Os aliados só se reuniram para negociar dois meses depois da assinatura do armistício, em 18 de janeiro de 1919. Os setenta delegados de 27 países reuniram-se no Ministério de Relações Exteriores, em Paris. A Alemanha, Áustria e Hungria foram excluídas das negociações. O governo alemão protestou contra o que considerava ser exigências injustas e uma "violação da honra". A Rússia também não foi chamada a participar, uma vez que havia firmado um tratado de paz com a Alemanha separadamente. As negociações foram comandadas, em princípio, por cinco países: Grã-Bretanha, França, EUA, Itália e Japão. Contudo, o Japão saiu pouco depois do início das negociações, deixando a liderança aos chamados "Quatro Grandes". Os delegados desses países tomaram a maior parte das decisões. A assembleia constituída por todas as nações participantes simplesmente ratificava os termos dispostos nas Conferências de Plenário semanais. Eram

O TRATADO DE VERSALHES

quase espectadoras – como o Brasil que, como nação aliada, enviou uma delegação para tomar parte nas negociações.

De fato, o tratado de paz estava sendo formatado para atender as demandas dos Quatro Grandes (Grã-Bretanha, EUA, França e Itália), as principais potências aliadas. A França, que tem uma extensa fronteira com a Alemanha, procurou enfraquecer o inimigo ao máximo. De acordo com o historiador William R. Keylor, autor do livro *The Legacy of the Great War: Peacemaking* (Wadsworth, Belmont, 1997), o primeiro-ministro francês Georges Clemenceau justificou as medidas extremas ao presidente americano Woodrow Wilson, afirmando que "os Estados Unidos estão longe, protegidos pelo oceano. Nem o próprio Napoleão conseguiu chegar à Inglaterra. Vocês dois [EUA e Grã-Bretanha] estão protegidos. Nós, não". Clemenceau queria constituir um Estado tampão na Renânia, isolando a Alemanha. Os outros, porém, não concordaram. No lugar do Estado tampão, a França conseguiu a desmilitarização da Renânia e promessas de apoio dos EUA e da Grã-Bretanha, caso a Alemanha retomasse as agressões – como aconteceu, de fato, na Segunda Guerra. Além da ameaça alemã às suas portas, a França tinha sido o país que mais teve perdas humanas e materiais entre os aliados. Por isso, exigiu uma pesada compensação financeira da Alemanha. Quando a República de Weimar não conseguiu pagar, tropas francesas e belgas ocuparam todo o Vale do Ruhr, o coração industrial da Alemanha.

Os britânicos foram pouco mais moderados, pois temiam ter sua economia afetada pela perda de um importante parceiro comercial – a Alemanha. Quanto aos Estados Unidos, o objetivo de Woodrow Wilson era reerguer a economia europeia, promover o livre-comércio, estabelecer novos mandatos para as colônias das potências europeias e para a Turquia e, sobretudo, sedimentar uma Liga das Nações que pudesse assegurar a paz. Wilson não desejava sangrar a Alemanha como queriam a Grã-Bretanha e, especialmente, a França. Contudo, as determinações das potências europeias é que acabaram prevalecendo. E, duas décadas depois, amargariam as consequências.

O Tratado

Não se pode considerar que a Alemanha tenha assinado um acordo de paz. De fato, o Tratado de Versalhes foi imposto à recém-proclamada república de Weimar. Ao apresentar o documento, os aliados informaram que, se o governo alemão não aceitasse, recomeçariam a guerra. O chefe do governo alemão, Philipp Scheidemann, renunciou, deixando de assinar o tratado. Gustav Bauer, líder do governo de coalizão que se formou após a renúncia de Scheidemann, enviou um telegrama a Paris, confirmando sua intenção de assinar o tratado, caso alguns artigos fossem retirados. A resposta dos aliados veio na forma de um ultimato: ou a Alemanha aceitava aquelas condições, ou seus exércitos cruzariam o Reno em 24 horas e invadiriam o país.

Diante da espoliação que julgava ser o tratado, o presidente alemão, Friedrich Ebert, primeiro presidente da Alemanha, consultou o Marechal de Campo Paul von Hindenburg, para saber se o exército conseguiria resistir a uma invasão dos aliados. Se houvesse qualquer possibilidade de resistência, Ebert não ratificaria o tratado. A resposta, porém, foi desanimadora. Assim, a assinatura do tratado foi posta em votação pela Assembleia Nacional, que escolheu, por 237 votos contra 138, ratificar o acordo. Ebert não teve alternativa a não ser enviar uma delegação a Paris para assinar.

No dia 29 de abril de 1919, a delegação alemã, liderada pelo Ministro do Exterior Ulrich Graf von Brockdorff-Rantzau, chegou a Versalhes para firmar o tratado. Dias depois, ao ser confrontado com as condições impostas pelos vencedores, especialmente o Artigo 231, a chamada "Cláusula da Culpa", no qual a Alemanha se responsabilizava por ter causado o conflito, von Brockdorff-Rantzau respondeu: "Sabemos que enfrentamos muita raiva aqui. Vocês exigem que confessemos que somos os únicos culpados dessa guerra, mas tal confissão seria uma mentira".

Mesmo assim, os alemães tiveram de engolir o acordo de paz. Em 28 de junho de 1919, exatamente cinco anos depois do assassinato do

O TRATADO DE VERSALHES

arquiduque Francisco Ferdinando, os Poderes Aliados firmaram com a Alemanha o Tratado de Versalhes, provavelmente, o mais importante dos tratados de paz assinados no final da Primeira Guerra Mundial.

Entre os termos do tratado, um dos principais – e controversos – era, como vimos, o que estabelecia que a Alemanha aceitava a responsabilidade por ter causado a guerra, juntamente à Áustria e à Hungria, conforme também figurava nos tratados de paz assinados em separado por esses países, o de Saint-Germain-en-Lave e o de Trianon, já mencionados.

A Alemanha se comprometia a pagar pesadas indenizações aos países aliados. Em 1921, o custo total dessas indenizações correspondia a 442 bilhões de dólares, conforme o câmbio de 2014, um valor que muitos economistas taxaram de excessivo e de contraproducente. Levaria, inicialmente, setenta anos para a Alemanha quitar essa dívida. Na verdade, o último pagamento dessas indenizações foi feito em 3 de outubro de 2010, embora, sob Hitler, o tratado tenha sido descumprido diversas vezes.

Não bastasse as indenizações, a Alemanha era obrigada a se desarmar, a devolver e a conceder territórios. O Tratado de Versalhes tirou cerca de 65 mil km² de seu território, reduzindo sua população em sete milhões de pessoas. Também exigiu que a República de Weimar devolvesse as áreas conquistadas sob o Tratado de Brest-Litovski, assinado com a Rússia no ano anterior, e dava independência aos protetorados que tinha estabelecido. Para a Bélgica, cedeu o controle da área de Eupen-Malmedy e do Moresnet, cuja população passou a ter nacionalidade belga.

Como compensação por ter destruído minas de carvão francesas, a produção das minas de carvão do rio Saar seria inteira cedida à França durante 15 anos. A França também recebeu a região da Alsácia-Lorena, uma área anexada pelo Império Alemão durante a Guerra Franco-Prussiana, de 1870 a 1871.

O MUNDO EM GUERRA

A Alemanha também perdeu território para a Tchecoslováquia, reconheceu sua independência, bem como a da Polônia, além de renunciar todos os direitos que afirmava ter sobre seu território. Ademais, a Alemanha cedia área de Soldau e a Pomerânia para a Polônia, de forma que o novo Estado tivesse acesso ao mar, formando o que ficou conhecido como Corredor Polonês. A Alemanha passou, assim, perto de 52 mil quilômetros quadrados para a Polônia. Finalmente, a Alemanha transferiu a cidade de Danzigue, importante porto no Báltico, hoje Gdansk, na Polônia, para a Liga das Nações estabelecer a Cidade Livre de Danzigue. A cidade, cuja região englobava cerca de duzentas cidades menores, era uma forma de dar à Polônia um porto estratégico – apesar de o novo país não ter o controle completo do porto.

O Desmantelamento das Forças Armadas

Os artigos do Tratado de Versalhes que correspondem às Forças Armadas Alemãs impediam completamente que o país realizasse uma ação ofensiva. Até 21 de março de 1920, menos de um ano depois da assinatura do tratado, o exército alemão deveria ser reduzido a cem mil homens – suficiente apenas para resolver questões domésticas. As escolas para treinamento de oficias foram fechadas, exceto três delas, uma escola para cada arma. A polícia foi reduzida para o mesmo número de policiais que tinha antes da guerra. O tratado exigia ainda que o recrutamento compulsório fosse abolido. Proibia a fabricação de armas, de aviões militares, de tanques de guerra, e a compra ou venda de armamentos. A Marinha Alemã foi desmontada, reduzida a seis couraçados construídos antes da guerra, seis cruzadores leves, doze destróieres e doze torpedeiros. Como os *U-boats* afundaram cargueiros, vitimizando civis, a Alemanha foi proibida de ter qualquer submarino. O número de homens na marinha não poderia passar de quinze mil, que deveriam tripular a frota, patrulhar a costa, trabalhar nas estações de sinalização, além dos serviços administrativos, e o número de oficiais seria de, no máximo, 1,5 mil. Para reduzir a Marinha Alemã a esses números, os aliados tomaram da Alemanha oito couraçados, oito

O TRATADO DE VERSALHES

cruzadores leves, 42 destróieres, cinquenta torpedeiros e 32 cruzadores auxiliares, que tiveram suas armas retiradas e passaram a ser usados na Marinha Mercante.

O artigo 231 do tratado estabelecia que a Alemanha era a responsável pelas perdas e pelos danos causados durante a guerra. A partir de 1921, uma Comissão de Reparação analisaria os recursos da Alemanha para determinar o pagamento que o país faria, o que, em tese, dava ao governo alemão uma oportunidade de negociar o quanto podia pagar. Contudo, a Alemanha deveria pagar imediatamente o equivalente, em 2014, a 5 bilhões de dólares em ouro, bens, navios e outros produtos e serviços.

Era uma verdadeira sangria. A economia alemã estava tão abalada depois da guerra que o país só conseguiu pagar um pequeno percentual das indenizações em dinheiro. Ainda assim, isso foi um grande golpe numa nação que teve boa parte de sua infraestrutura destruída no conflito. Não se pode culpar, exclusivamente, as pesadas indenizações pela hiperinflação que assolou os alemães nos anos 1920, mas, certamente, contribuíram muito para tanto.

Alemães de todas as orientações políticas manifestaram-se contra o tratado, especialmente a cláusula que responsabilizava a Alemanha pelo início da guerra – o que era visto como um insulto à honra da nação. O país se dividiu. Conservadores, nacionalistas e líderes militares condenaram a ratificação do Tratado de Versalhes. Os setores da sociedade que apoiaram o acordo – socialistas comunistas e judeus – passaram a ser vistos como traidores.

A história acabou demonstrando que a pesada punição e os encargos abusivos foram inúteis. Não pacificaram a Alemanha, nem enfraqueceram o país. Tampouco conciliaram os interesses germânicos, os mesmos que levaram a Alemanha à guerra, em 1914. Com efeito, o Tratado de Versalhes acabou sendo uma das causas da Segunda Guerra Mundial quase vinte anos depois de ser assinado.

Cena de rua, em Berlim, nos anos 1920.

ALEMANHA: O CAOS DEPOIS DA GUERRA

Em seu livro *Memórias da Segunda Guerra Mundial* (Nova Fronteira, Rio de Janeiro, 1995), Winston S. Churchill classifica a Grande Guerra como "a guerra desnecessária". Para o primeiro-ministro inglês, "nunca houve uma guerra mais fácil de se impedir do que essa que acaba de destroçar o que havia restado do mundo após o conflito anterior". Churchill reconhece que as condições que os vencedores impuseram à Alemanha levariam a um novo conflito.

A Alemanha saiu da Primeira Guerra "derrotada, desarmada e faminta". Com relação à França, seus problemas com a Alemanha eram históricos. Desse modo, os franceses valeram-se da sua participação no Tratado de Versalhes para evitar a esperada futura invasão, impondo duras sansões ao inimigo. Já os americanos influenciaram a deposição do Kaiser e a fundação de uma república em Weimar. Contudo, a república era vista pelos setores conservadores e pela antiga nobreza alemã como uma imposição do inimigo.

Além disso, a situação econômica da Alemanha degenerou-se consideravelmente. Com um índice de desemprego elevadíssimo, o que havia restado da poupança da classe média se esgotou. Isso criou uma legião de seguidores naturais do Nacional-Socialismo – a doutrina política que começava a se esboçar como solução para a catástrofe que assolava o país. Todo o capital de giro desapareceu da Alemanha, o que levou à contratação de empréstimos em larga escala.

Punhalada nas Costas

Devido à situação insustentável, o país se dividiu. Os setores da sociedade que apoiaram a assinatura do tratado e o fim da guerra começaram a ser vistos como traidores. Sobre aqueles que se beneficiaram com a proclamação da república, dizia-se que tinham "apunhalado a Alemanha pelas costas". De fato, essa ideia tomou corpo e acabou ganhando contornos de mito – um mito feroz que alimentou ideias tresloucadas de fanáticos como os nazistas.

Os conservadores recusavam-se a acreditar que a Alemanha tinha perdido a guerra. Em lugar disso, afirmavam que alguns setores da sociedade civil, especialmente os republicanos, comunistas e judeus traíram o país, causando sua derrota. Esse mito surgiu por conta do fato de a Alemanha ter se rendido quando ainda controlava território francês e belga. Além disso, no Front Oriental, a Alemanha tinha ganhado a guerra contra a Rússia, com a assinatura do Tratado de Brest-Litovski. Da mesma forma, muitos alemães entendiam que o fracasso da Ofensiva da Primavera devia-se às greves promovidas pelos operários das indústrias de armamentos no momento mais crítico do ataque – o que deixou os soldados sem suprimentos adequados. Os nacionalistas acusavam os traidores da pátria – isto é, os judeus, marxistas e republicanos – de terem instigado as greves.

Uma das vozes mais elevadas no coro que sustentava a teoria da traição da Alemanha era a do General Erich Ludendorff que, juntamente a Paul von Hindenburg, liderou o exército do Kaiser durante o conflito. Ludendorff culpava o governo da nova República de Weimar e a população civil pela rendição, acusando-os de terem-no deixado sem recursos quando mais precisava. O velho general classificava a atitude dos civis de "punhalada nas costas" e aqueles que apoiaram a assinatura do Tratado de Versalhes de "Criminosos de Novembro", em referência ao mês que a Alemanha assinou o armistício com os aliados. E os termos pegaram.

ALEMANHA: O CAOS DEPOIS DA GUERRA

Mais que isso, a ideia de traição doméstica não apenas se fixou entre o público alemão, como também levou a opinião pública a apoiar o Partido Nacional-Socialista de Hitler. Os judeus foram considerados os bodes expiatórios para justificar a derrota. Logo depois da guerra, durante a Revolução Alemã, que durou de novembro de 1918 a agosto de 1919, instaurou-se a República Soviética da Baviera – uma tentativa de estabelecer-se o regime comunista naquele estado alemão que implicava sua separação do resto da Alemanha. A república durou apenas quatro semanas, antes de Munique, capital da Bavária, cair. Muitos dos líderes da República Soviética Bávara eram judeus, o que levou a propaganda de direita a acusar todos os judeus de comunistas, isto é, de traidores.

Em seu artigo *Myths, Guilt and Shame in Pre-Nazi Germany* (Mitos, Culpa e Vergonha na Alemanha Pré-Nazista), Richard Hunt sugere que, por trás do mito da "punhalada nas costas" havia um sentimento de vergonha, não por ter causado a guerra, mas por tê-la perdido. Hunt argumenta que a psicologia nacional alemã foi afetada pela desonra da derrota. Segundo o autor, essa disposição "serviu como um solvente para a democracia de Weimar e, da mesma forma, como um cimento ideológico para a ditadura de Hitler".

Nem mesmo Matthias Erzberger, ministro das Finanças entre 1919 e 1920, foi poupado. Erzberger, membro do *Zentrumspartei*, o Partido do Centro, ligado à ala católica, desde 1917 defendia o final da guerra e foi o representante do Reich que assinou o documento de armistício, por parte dos alemães. Por conta disso, foi assassinado por terroristas da direita, que o tinham como traidor.

Nesse quadro desesperante, no qual os valores mais intrínsecos dos alemães haviam sido esmagados, abriu-se um espaço, logo ocupado, nas palavras de Winston Churchill, o premiê britânico durante a Segunda Guerra, por "um maníaco de índole feroz, repositório e expressão dos mais virulentos ódios que jamais corroeram o coração humano – o cabo Hitler".

PARTE II
SOBRE HOMENS, MÁQUINAS E NÚMEROS
TECNOLOGIAS

A Primeira Guerra Mundial foi uma guerra industrial, na qual foram aplicados métodos de produção em massa e novas tecnologias na fabricação de armamentos. Era uma tendência iniciada cinquenta anos antes, na Guerra Civil Americana, desenvolvendo-se por meio de conflitos menores e atingindo seu ponto culminante na Primeira Guerra.

Depois da carnificina resultante no conflito, ficou claro que, sejam quais forem os benefícios trazidos pela tecnologia à vida civil, essa mesma tecnologia estaria sempre disponível para a criação de equipamentos com alto poder de destruição. De fato, as baixas causadas por essas armas banalizaram a vida humana a tal ponto que o século XX foi a Era dos Holocaustos. O genocídio de judeus, poloneses e russos por Hitler, dos japoneses de Hiroshima e Nagasaki pelos americanos, e da população cambojana pelo Khmer Vermelho, são alguns exemplos.

Ao longo da Primeira Guerra Mundial, foi preciso ajustar as estratégias e táticas aos novos armamentos. Nos primeiros anos do conflito, a aplicação de tecnologias do século XX contra táticas do século XIX levou a um número enorme de baixas em batalhas travadas inutilmente.

Foi preciso reaprender a combater. Apenas no último ano da guerra, os exércitos conseguiram adaptar, de maneira eficiente, as estratégias e os métodos de comando e controle ao campo de batalha moderno. Mudanças de tática, como a redução do número de homens dos esquadrões – de cem soldados, passou a ter dez – acompanharam o uso de carros blindados, das primeiras submetralhadoras e de rifles automáticos.

As novas armas e tecnologias foram usadas e desenvolvidas em diversas situações.

Combates nas Trincheiras

As modernas indústrias metalúrgicas e as diversas inovações mecânicas produziram armamentos com um poder de fogo que tornava a defesa quase invencível e o ataque praticamente impossível. Entre as novas armas estavam os rifles automáticos, metralhadoras e granadas de mão que dificultavam o avanço sobre o terreno defendido. Uma das mais importantes armas introduzidas nos ataques e defesas de trincheiras foi o projétil com ogiva explosiva, que aumentou demasiadamente o poder de destruição da artilharia e, consequentemente, o número de baixas. Outro desenvolvimento proporcionado pelas batalhas nas trincheiras foi a casamata, uma instalação fortificada à prova de projéteis.

Guerra nos Céus

Pela primeira vez, batalhas foram travadas no céu. No início da guerra, os aviões já estavam sendo utilizados para fazer reconhecimento e localização das posições inimigas. Mas, em 1915, aviões modificados para combate aéreo foram introduzidos na Frente Ocidental. Em 1 de abril daquele ano, o piloto francês Roland Garros se tornou o primeiro homem da História a derrubar um avião inimigo, usando uma metralhadora que atirava através das hélices. Para fazer isso, as hélices foram reforçadas de forma a desviar as balas que a atingiam. Embora grosseiro, o método possibilitou a Garros a primeira vitória numa batalha aérea.

Poucos meses depois, Garros foi forçado a aterrissar atrás das linhas inimigas. O avião capturado foi enviado ao engenheiro holandês Anthony Fokker, que fez uma importante modificação, um

TECNOLOGIAS

sincronizador que permitia à metralhadora disparar nos intervalos do giro da hélice, isto é, atiravam apenas quando a hélice estava fora da linha de fogo. A corrida na melhoria dos armamentos aéreos, motores e materiais começava, continuando até o final da guerra.

Os combates aéreos inauguraram um novo personagem militar, o Ás, um piloto que se destacava não só pela sua habilidade e coragem, mas também – e principalmente – pelo número de aviões que abatia. A Grande Guerra assistiu a uma verdadeira competição entre ases, cada qual marcando cuidadosamente o número de inimigos derrubados, como um jogador de futebol conta o número de gols. O ás mais famoso foi o Barão Vermelho, um piloto alemão assim apelidado pelos aliados por ser nobre e voar num biplano vermelho. Contudo, ao contrário do que se pensa, a artilharia antiaérea derrubou mais aviões do que os pilotos de combate.

No inverno de 1916-1917, os alemães introduziram aviões melhores com metralhadoras duplas, o que resultou em perdas desastrosas para as Forças Aéreas Aliadas. Vários pilotos britânicos, portugueses, belgas e australianos, que lutavam com aviões ultrapassados, pereceram ante a eficiência das aeronaves alemãs e de seu poder de fogo. Segundo Roger Chickering, autor do livro *Great War, Total War: Combat and Mobilization on the Western Front, 1914-1918* (Stig Förster, Nova York, 2000), num ataque, em Arras, os britânicos perderam 316 tripulações e os canadenses, 114, contra apenas 44 tripulações abatidas dos germânicos.

Principais Aviões da Grande Guerra
Nieuport 17

O Nieuport 17 foi desenvolvido para substituir o Nieuport 11 e iniciou seu serviço em 1916, na Frente Francesa durante a Primeira Guerra Mundial. Juntamente ao caça britânico DH.2, foi crucial para deter

Wikicommons

o avião alemão Fockker Eindecker, que reinava nos céus no começo da guerra. Grandes ases franceses pilotaram o N-17. Também ases britânicos, canadenses e italianos conquistaram suas vitórias com este modelo de avião. A partir de 1916, o N-17 fez parte de todos os esquadrões de caça da Aeronáutica Militar francesa.

SPAD S.XIII

O SPAD S.XIII foi um dos caças mais eficientes da Primeira Guerra Mundial e um dos mais fabricados. O caça francês projetado por Louis Béchereau voou pela primeira vez em 4 de abril de 1917, entrando em serviço um mês depois. O novo caça teve papel relevante na guerra.

Bristol F.2 Fighter

O Bristol F.2 Fighter foi um caça biplano britânico de dois lugares e, também, avião de reconhecimento durante a Primeira Guerra Mundial. Era mais comumente chamado de Bristol Fighter, Brisfit ou Biff. Embora fosse um avião de dois lugares, a versão F.2B era ágil o bastante para enfrentar caças inimigos.

Caudron G.4

O Caudron G.4, um bombardeiro biplano francês com dois motores, foi muito usado durante a Primeira Guerra Mundial a partir de novembro de 1915. Sua produção foi baseada na França, Inglaterra e Itália. Empregado como bombardeiro de reconhecimento dentro do território alemão, foi posteriormente, utilizado em bombardeios noturnos.

Sikorsky Ilya Muromets

O Sikorsky Ilya Muromets era uma classe de aviões russos anteriores à Primeira Guerra Mundial de quatro motores usados como aeronave de transporte comercial. Durante a Primeira Guerra Mundial, foi adaptado e veio a ser o primeiro bombardeiro de quatro motores a equipar uma unidade de bombardeio estratégico. O bombardeiro pesado não teve rivais no início da guerra, uma vez que os Poderes Centrais não possuíam um avião capaz de rivalizar o Ilya Muromets, o que só foi possível a partir de 1916.

As operações com os bombardeiros pesados começaram em fevereiro de 1915, quando um esquadrão de Ilya Muromets bombardeou posições no front alemão. O poder de fogo defensivo do Ilya Muromets que incluía uma metralhadora na cauda e seu tamanho tornavam difícil derrubar o avião. Nem mesmo os caças menores tinham facilidade para abatê-lo. Foi apenas um ano e sete meses depois de iniciar o serviço militar, em 12 de setembro de 1916, que o primeiro Ilya Muromets foi derrubado por quatro aviões alemães Albatros – mesmo assim abateu três deles antes de cair. Esta foi a única perda dessa aeronave durante a guerra.

Gotha G.IV

O Gotha G. (IV, V, VII, GL. VIII, G.IX e G.X) foi uma família de bombardeiros fabricados na Alemanha durante os últimos meses da Primeira Guerra Mundial. Baseados no projeto inicial Gotha G.VII, eram bombardeiros táticos de alta velocidade. Contudo, apenas poucos desses aviões entraram em ação.

Airco DH.4

O Airco DH.4 foi um bombardeiro britânico diurno, biplano leve de dois lugares usado na Primeira Guerra Mundial – o primeiro bombardeiro britânico com essas características a ter armamento defensivo efetivo. Testado pela primeira vez em agosto de 1916, entrou em serviço em março do ano seguinte. As forças americanas na França também usaram esse bombardeiro leve, não só com esse papel, mas também como avião de múltiplas tarefas.

O DH.4 teve enorme sucesso e foi considerado o melhor bombardeiro de um só motor da Primeira Guerra Mundial. Sua velocidade e seu desempenho em altitude conferia ao DH.4 grande invulnerabilidade contra os caças interceptadores alemães. Desse modo, o DH. 4 quase nunca precisava ser escoltado por caças em suas missões de bombardeio.

R.E.8

O R.E.8 foi um biplano de reconhecimento e bombardeiro britânico de dois lugares da Primeira Guerra, projetado e fabricado pela *Royal Aircraft Factory* para substituir o modelo anterior, o B.E.2. No entanto, o R.E.8 foi considerado pelos pilotos mais difícil de voar do que o B.E.2. Embora seu desempenho fosse considerado

TECNOLOGIAS

satisfatório, o avião nunca se destacou em combate. Mesmo assim, o R.E.8 foi uma importante nave de reconhecimento e localização de artilharia, a partir de meados de 1917. Por conta disso, mais de quatro mil unidades do R.E.8 foram fabricadas, servindo na maioria dos teatros da Primeira Guerra, inclusive nas frentes da Itália, Rússia, Palestina, Mesopotâmia e no Front Ocidental.

Gás

No começo da guerra, a Alemanha tinha a indústria química mais desenvolvida do mundo, respondendo por mais de 80% da produção mundial de corantes e químicos. Embora o uso de armas químicas fosse proibido pela Convenção de Haia, que estabelecia leis internacionais para o limite das atrocidades das guerras, a Alemanha não hesitou em lançar mão da sua avançada indústria química para tentar romper a estagnação da guerra de trincheiras.

O gás de cloro é uma substância altamente neurotóxica. Em outras palavras, tem a capacidade de lesar gravemente o sistema nervoso. Esse gás de coloração amarelo-esverdeada foi descoberto em 1774 pelo sueco-alemão Carl Wilhem Scheele, mas, até a Primeira Guerra Mundial, nunca tinha sido usado para eliminar pessoas.

Essa arma química foi usada pela primeira vez num campo de batalha em abril de 1915, na Segunda Batalha de Ypres. Quando os soldados aliados viram a fumaça amarela, acharam que era apenas uma cobertura para as tropas que avançavam – uma cortina de fumaça. Os oficiais ordenaram que os homens mantivessem suas posições para repelir o ataque iminente. Duas vezes mais pesado que o ar, o gás se espalhou como uma névoa mortal, invadindo as trincheiras e fazendo várias vítimas.

Nas batalhas subsequentes, outros gases, como o gás mostarda e o fosgênio, também foram usados. Os britânicos e franceses logo seguiram a tendência e passaram a atacar os alemães com gases letais.

SOBRE HOMENS, MÁQUINAS E NÚMEROS

De início, os combatentes usavam apenas trapos embebidos em água e até mesmo urina para evitar os efeitos do gás. Mais tarde foram desenvolvidas e introduzidas máscaras relativamente eficientes para neutralizar armas químicas. Mas o estrago foi grande. De acordo com Roger Chickering, cerca de um milhão de combatentes pereceram por conta do uso de armas químicas.

Tanques

Os tanques de guerra e outros veículos de combate blindados começaram a ser usados na Primeira Guerra Mundial para dar cobertura a tropas de infantaria e garantir mobilidade nos estáticos combates de trincheira que caracterizaram o conflito. A partir de então, tornaram-se uma arma fundamental das forças armadas modernas, evoluindo em diferentes modelos, concebidos para propósitos específicos.

O conceito do tanque de guerra data da década de 1890, mas só veio a ser utilizado na Primeira Guerra Mundial no final do conflito. Os estrategistas militares não se interessaram pelo projeto. Contudo, a guerra de trincheira, cuja estagnação paralisava os exércitos, levou a indústria bélica a retomar a ideia do tanque de guerra.

Os tanques, blindados e equipados com metralhadoras *Lewis*, rodava sobre lagartas, um projeto desenvolvido pelo escritor, político e inventor anglo-irlandês Richard Lovell Edgeworth (1744 – 1817) nos anos 1770, o que permitia transpor trincheiras de até 2,4 metros. Primitivos, os tanques usados na Primeira Guerra Mundial quebravam o tempo todo. Foram usados pelos britânicos pela primeira vez em 1917, causando pânico entre os alemães.

Os tanques permitiram a criação de novas táticas e acabaram sendo, de fato, eficientes para romper a estagnação da guerra de trincheiras. Para tanto, os tanques avançavam em formação compacta apoiados e apoiando a infantaria.

TECNOLOGIAS

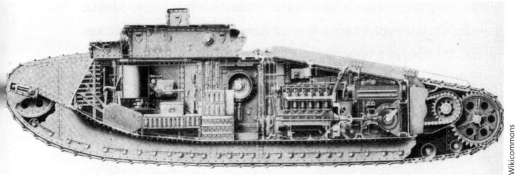

Mark VIII

O tanque Mark VIII, também conhecido como *Liberty* ou *The International*, foi um projeto anglo-americano da Grande Guerra, desenvolvido para superar as limitações dos primeiros modelos britânicos e equipar a França, o Reino Unido e os Estados Unidos com um único tanque.

A produção deveria ter lugar na França, com as peças automotivas fabricadas nos Estados Unidos e a blindagem e os armamentos, na Grã-Bretanha. Os níveis de fabricação foram planejados para equipar os exércitos aliados com grande número de tanques que deveriam romper as posições defensivas alemãs, numa ofensiva que aconteceria em 1919. No entanto, a fabricação dos tanques foi lenta, e apenas alguns veículos foram produzidos antes do final do conflito, em novembro de 1918.

A7V

O A7V foi um tanque projetado na Alemanha e produzido a partir de março de 1918, já nos últimos meses da Primeira Guerra Mundial. Foram fabricados vinte desses tanques, usados em combate em 1918. Após o surgimento dos primeiros tanques de guerra britânicos, utilizados na Frente Ocidental, o exército alemão estabeleceu o Sétimo Ramo do Departamento Geral de Guerra –

SOBRE HOMENS, MÁQUINAS E NÚMEROS

Transportes, encarregado de projetar e construir o primeiro tanque alemão. O desenvolvimento ficou a cargo de Joseph Vollmer, um capitão da reserva e engenheiro.

O tanque, que era tripulado por 18 homens, entrou em combate pela primeira vez em 21 de março de 1918. Dos cinco tanques que participaram da ação ao norte do Canal de Saint-Quentin, na França, três sofreram pane mecânica e não tomaram parte na batalha. Os dois restantes ajudaram a repelir um pequeno ataque britânico.

O primeiro combate entre tanques da história teve lugar durante a Segunda Batalha de Villers-Bretonneux, em 24 de abril de 1918. Três A7Vs que apoiavam um ataque da infantaria encontraram acidentalmente três Mark IV britânicos, confrontando-se em seguida. Durante o combate, os tanques dos dois lados foram avariados. Os britânicos abateram um dos A7Vs, enquanto os outros se retiraram depois de atingir um dos veículos inimigos.

Wikicommons

Renault FT-17

O Renault FT, mais conhecido como FT-17, foi um tanque ligeiro francês, cujo projeto é considerado um dos mais revolucionários e influentes da história dessas armas. De acordo com o historiador especializado em veículos blindados Steven Zaloga, o Renault FT "é o primeiro tanque moderno do mundo". Entre esses avanços, o FT-17 foi o primeiro com torreão rotatório, sobre o qual eram montados armamentos. Desse modo, o artilheiro podia disparar em todas as direções. Com efeito, a configuração do Renault FT – compartimento da tripulação à frente, compartimento do motor atrás e o armamento principal no torreão móvel – tornou-se e continua a ser o layout padrão de tanques. Mais de três mil FTs-17 foram construídos, a maioria dos quais durante o ano de 1918.

TECNOLOGIAS

O Renault FT viu ação pela primeira vez em 27 de maio de 1918 durante a Segunda Batalha do Marne. No combate, trinta FTs repeliram um ataque alemão. Contudo, sem o apoio da infantaria, tiveram de se retirar. A partir de então, números cada vez maiores de FTs foram empregados, por vezes, em conjunto com outros tanques.

Schneider CA1

O Schneider CA1, originalmente chamado de Schneider CA, foi um veículo blindado de combate desenvolvido na França durante a Primeira Guerra Mundial. Embora

Wikicommons

não fosse um tanque no sentido moderno da palavra, uma vez que não possuía torreão, é, em geral, considerado pelos estudiosos como o primeiro tanque francês.

O Schneider foi criado para superar a imobilidade da guerra de trincheiras que dominou a Frente Ocidental durante a maior parte do conflito. Sua função básica era abrir passagem para a infantaria, rompendo as barreiras de arame farpado e, em seguida, destruir os ninhos de metralhadoras dos inimigos.

O Schneider CA1 foi muito usado em combate nos últimos anos da Primeira Guerra Mundial. Entrou em ação pela primeira vez em 16 de abril de 1917, sofrendo muitas perdas. No entanto, nos engajamentos seguintes, o veículo mostrou-se bem-sucedido. Em 1918, o Schneider teve papel de destaque em deter a Ofensiva da Primavera, promovida pelos alemães.

Wikicommons

Mark I

O Mark I foi o primeiro tanque a entrar em combate. Concebido e fabricado na Grã-Bretanha, deveria ultrapassar trincheiras, romper obstáculos

SOBRE HOMENS, MÁQUINAS E NÚMEROS

de arame farpado e destruir ninhos de metralhadoras no Front Ocidental, durante a Primeira Guerra Mundial. Foi o primeiro veículo a receber a designação "tanque".

O primeiro tanque teve sucesso em cumprir seus objetivos básicos – cruzar trincheiras, resistir à artilharia leve, superar terreno acidentado, transportar suprimentos e capturar posições fortificadas – teve, porém, diversos problemas devido ao fato de ser justamente o primeiro tanque a ser produzido.

O Mark I entrou em serviço em agosto de 1916, vendo ação em 15 de setembro daquele ano, em combate travado durante a Ofensiva do Somme. O projeto foi desenvolvido e melhorado nas versões Mark II e Mark III. O modelo Mark IV entrou em ação em junho de 1917, sendo usado em massa durante a Batalha de Cambrai, em novembro de 1917, quando 460 desses tanques foram empregados. A versão Mark V, com a transmissão muito melhorada, iniciou serviço em meados de 1918.

Os tanques britânicos eram chamados de "Macho" ou "Fêmea", de acordo com os armamentos instalados nas plataformas laterais. Os veículos equipados com um canhão de 57 mm eram chamados de "macho", uma vez que a arma se projetava para fora. Já os tanques com metralhadora Vickers eram designados de "fêmea".

Medium Mark A Whippet

O Medium Mark A Whippet foi um tanque britânico da Primeira Guerra Mundial projetado para apoiar os tanques pesados já produzidos no Reino Unido, os quais eram mais lentos. O Whippet era empregado, por conta da sua mobilidade e velocidade, para aproveitar qualquer ruptura nas linhas inimigas. Os tanques Whippet, mais tarde, foram

TECNOLOGIAS

usados em diversas ações posteriores à guerra empreendidas pelos britânicos.

O primeiro tanque médio Whippet entrou em ação no último ano da Grande Guerra, em março de 1918. Mostrou-se muito eficiente para cobrir as divisões de infantaria em retirada durante a Ofensiva da Primavera, empreendida pelos alemães naquele ano.

Armas Navais

O avanço industrial da época da Primeira Guerra Mundial, com melhores técnicas metalúrgicas e equipamentos mais complexos, permitiu a fabricação de navios encouraçados maiores, mais rápidos e armados com canhões mais pesados. O lançamento do encouraçado HMS Dreadnought da marinha britânica em 1906 revolucionou a engenharia naval e tornou obsoleta grande parte dos navios de guerra existentes. Muitas marinhas passaram a fabricar encouraçados, mas, quando a guerra começou, as forças navais dos países beligerantes – a não ser as da Grã-Bretanha e da Alemanha – eram compostas de navios modernos e de outros mais antigos.

Como a frota alemã ficou encurralada no Mar do Norte, sua estratégia naval foi fortemente baseada no uso de submarinos. Contudo, como aconteceu com muitas armas, também era a primeira vez que se usavam submarinos numa guerra. Na época, era um desenvolvimento bem recente. Os alemães usaram seus U-boots (ou *U-boats*, conforme os britânicos os chamavam), abreviatura de *Unterseeboot* (barco submarino), principalmente para afundar navios com suprimentos destinados à Grã-Bretanha. Cortando a linha de abastecimento à ilha, os germânicos esperavam vencer o conflito.

Em contrapartida, os britânicos desenvolveram sonares e armamentos específicos contra submarinos, reduzindo a ameaça.

SOBRE HOMENS, MÁQUINAS E NÚMEROS

Navios da Grande Guerra
HMS Iron Duke

O HMS Iron Duke foi um couraçado Dreadnought da Marinha Real Britânica lançado em outubro de 1912 e comissionado em março de 1914. Seu nome, "Duque de Ferro", em português, foi dado em homenagem ao primeiro duque de Wellington, Arthur Wellesley (1769 – 1852), o estrategista irlandês que, com auxílio do general prussiano Gebhard von Blücher (1742 – 1819), derrotou Napoleão na Batalha de Waterloo.

O Iron Duke serviu como nau capitânia da Grande Frota, a esquadra formada pela Marinha Real Britânica, em agosto de 1914, e dissolvida em 1919, dando origem à Frota do Atlântico. Durante a Batalha da Jutlândia, travada entre 31 de maio e 1 de junho de 1916, o Iron Duke infligiu danos significativos ao couraçado alemão SMS König.

USS Virginia (BB-13)

O USS Virginia (BB-13), projetado e construído nos Estados Unidos nos primeiros anos do século XX, foi um couraçado imediatamente anterior aos Dreadnoughts que dominaram o conceito de navios de guerra até o final da Primeira Guerra Mundial.

TECNOLOGIAS

O Virginia foi comissionado pela Marinha dos Estados Unidos em 1906 e imediatamente realizou uma série de exercícios navais para treinamento da tripulação. O couraçado também tomou parte da intervenção americana na Revolução Mexicana de 1913 – 1914. Durante a Primeira Guerra, o Virginia serviu de navio escolta para os comboios destinados à Europa.

USS Nevada (BB-36)

O USS Nevada (BB-36) foi a nau capitânia da classe Nevada de couraçados. O outro barco pertencente a essa classe era o Oklahoma. Lançado em 1914, o Nevada apresentava as inovações do Dreadnought. O navio trazia desenvolvimentos que estariam presentes em  praticamente todos os couraçados americanos subsequentes: torres de canhão triplas, a substituição do carvão por petróleo, turbina a vapor e blindagem do tipo *All or Nothing* – um método de blindagem de couraçados que envolve blindagem pesada nas áreas mais importantes da embarcação, enquanto o resto do navio recebe significativamente menos blindagem.

HMS Invincible

O HMS Invincible foi um cruzador de batalha da Marinha Real da Grã-Bretanha e principal navio de sua classe de três embarcações. De fato, O Invincible foi o primeiro cruzador de batalha a ser construído.

SOBRE HOMENS, MÁQUINAS E NÚMEROS

Durante a Primeira Guerra Mundial, o navio tomou parte de três importantes batalhas navais: a de Heligoland Bight (28 de agosto de 1914), a Batalha das Malvinas (8 de dezembro de 1914) e na Batalha da Jutlândia (31 de maio e 1 de junho de 1916).

No primeiro desses combates navais, o Invincible disparou seus canhões contra o cruzador ligeiro Cölm, mas não o afundou. O navio alemão acabou sendo atingido por outro cruzador de batalha britânico que o afundou.

Durante a Batalha das Malvinas, o Invincible e outro navio da sua classe, o Inflexible, afundaram dois cruzadores blindados alemães, o Scharnhorst e Gneisenau. No confronto, o Invincible foi atingido diversas vezes pelos cruzadores inimigos, mas não sofreu maiores danos.

Na Batalha de Jutlândia, o maior engajamento naval da Primeira Guerra, travado entre a Grande Frota da Marinha Real e a Marinha Imperial da Alemanha, o Invincible foi a nau capitânia do 3º Esquadrão de Cruzadores de Batalha. No confronto, o Invincible foi atingido diversas vezes pelos disparos de dois cruzadores de batalha inimigos. Um dos tiros, uma ogiva de 305 mm, atingiu sua torre Q, causando a detonação do paiol de meia-nau. O navio afundou em 90 segundos. De acordo com o escritor John Campbell, 1926 tripulantes morreram. Apenas seis membros da tripulação sobreviveram, inclusive o comandante. Os sobreviventes foram resgatados em seguida por um destróier britânico de apoio.

HMS New Zealand

O HMS New Zealand foi um dos três cruzadores de batalha da classe *Indefatigable*. Essa classe representava uma pequena evolução com relação à sua predecessora, a classe *Invincible*, cujo navio-almirante foi a pique, como vimos, na Batalha da Jutlândia.

Wikicommons

TECNOLOGIAS

Como a classe *Indefatigable*, assemelhava-se aos *Dreadnoughts* contemporâneos da Marinha Real da Grã-Bretanha, porém, sem blindagem e com uma torre de canhões a menos para aumentar sua velocidade.

O New Zealand foi dado pelo governo neozelandês à Grã-Bretanha como um presente, entrando em serviço na Marinha daquele país em 1912. Com o início da Primeira Guerra, o cruzador de batalha serviu como parte da Grande Frota e participou das três maiores batalhas navais travadas no Mar do Norte: Heligoland Bight, Dogger Bank e Jutlândia. Nesses engajamentos, o New Zealand ajudou a afundar dois cruzadores inimigos. O navio também foi atingido durante os confrontos, mas o episódio não provocou vítimas. Por conta disso, a tripulação passou a considerar o New Zealand como "Navio Sortudo", pois, durante a batalha em que foi atingido, o comandante da embarcação usava uma saia dos guerreiros maoris neozelandeses e um pingente hei-tiki, considerado um talismã desse povo.

Depois da guerra, o Nova Zelândia passou para a reserva da Marinha em 1920, sendo sucateada dois anos depois.

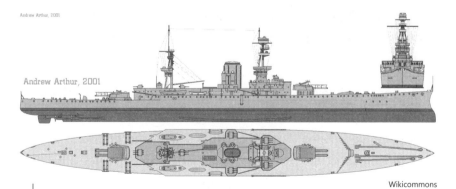

Andrew Arthur, 2001

Wikicommons

HMS Glorious

O HMS Glorious foi o segundo cruzador de batalha da classe Corageous da Marinha Real da Grã-Bretanha, durante a Primeira Guerra. Os navios dessa classe tinham pouca blindagem e eram armados com apenas alguns canhões pesados. O Glorious foi completado em 1916, sendo comissionado em dezembro daquele ano. Encarregado de patrulhar as águas do Mar do Norte, o cruzador participou da Segunda Batalha de Heligoland Bight, em novembro de 1917.

SMS Von der Tann

O SMS Von der Tann foi o primeiro cruzador de batalha da Marinha Imperial Alemã e o primeiro grande navio de guerra movido com turbina a vapor do país. Na época da sua construção, o Von der Tann era o cruzador do tipo Dreadnought mais rápido em serviço, capaz de atingir cerca de 27 nós (50 km/h). O navio foi projetado e construído como uma resposta à classe de cruzadores de batalha britânica Invincible. Embora o projeto alemão tivesse canhões um pouco menores do que os Mark X dos navios britânicos (28 cm vs. 35 cm), o Von der Tann era significativamente mais veloz e com melhor blindagem. De fato, essa embarcação estabeleceu o padrão alemão de cruzadores de batalha com blindagem consideravelmente mais pesada que seus equivalentes britânicos, apesar de contar com canhões menores.

Durante a Primeira Guerra Mundial, o Von der Tann participou de ações de bombardeio contra a costa inglesa. Na Batalha de Jutlândia, o cruzador de batalha alemão destruiu sua versão britânica, o HMS Indefatigable logo nos primeiros minutos do combate. Nessa batalha, o Von der Tann foi atingido diversas vezes por ogivas de grande calibre, o que danificou os canhões da sua bateria principal. Contudo, o navio foi reparado e voltou a entrar em ação dois meses depois.

Com o fim da guerra, conforme os termos do armistício, o Von der Tann ficou internado com as outras embarcações da Frota de Alto-Mar, em Scapa Flow, um braço de mar nas Ilhas Orkney, na

TECNOLOGIAS

Escócia – um dos maiores portos naturais do mundo. Os navios alemães deveriam permanecer internados em Scapa Flow enquanto as negociações de paz decidiam o destino da Frota de Alto-Mar. Em 1919, temendo que os barcos fossem divididos entre os aliados, o comandante alemão, almirante Ludwig von Reuter (1869 – 1943), resolveu afundar toda a frota. Em 1930, os restos do Von der Tann foram recuperados e utilizados como sucata.

Wikicommon

SMS Derfflinger

O cruzador de batalha da Marinha Imperial Alemã SMS Derfflinger foi construído imediatamente antes do início da Primeira Guerra Mundial. O navio era o principal da classe de três embarcações que levava o seu nome. Os cruzadores da classe Derfflinger eram maiores e possuíam avanços significativos com relação a seus predecessores da força naval do Kaiser, em termos de armamentos, blindagem e autonomia.

Durante a Grande Guerra, o Derfflinger participou de diversas ações. O navio tomou parte nos bombardeios a cidades costeiras inglesas e combateu nas Batalhas de Dogger Bank e da Jutlândia. Seu desempenho neste último confronto lhe valeu o apelido de "Cão de Ferro". Com efeito, o Derfflinger foi parcialmente responsável pelo afundamento de dois cruzadores de batalha britânicos na costa da Jutlândia.

Com a derrota da Alemanha, o navio foi internado em Scapa Flow junto ao restante da Frota de Alto-Mar e foi afundado deliberadamente, como as outras embarcações, para evitar que armassem os aliados.

HMAS Australia

O HMAS Australia foi um dos três cruzadores de batalha da classe *Indefatigable* construídos no início do século XX para defesa do Império Britânico. Os navios dessa classe eram uma evolução modesta da precedente *Invincible*, com maior poder de fogo. Como a Invincible, os cruzadores de batalha da classe *Indefatigable* eram semelhantes aos *Dreadnoughts*, seus contemporâneos. A diferença é que o Australia e os outros navios de sua classe tinham menos blindagem e poder de fogo, para conseguir um aumento de velocidade de quatro nós (7,4 km/h).

No começo da Primeira Guerra Mundial, o Australia recebeu a tarefa de encontrar e destruir a Esquadra Alemã do Oriente, que deveria se retirar das águas asiáticas e reunir-se à frota principal na Europa. Contudo, o Australia teve sua missão interrompida diversas vezes para apoiar a captura de colônias alemãs na Nova Guiné e em Samoa. Isso impediu que o cruzador de batalha se engajasse em batalha contra a esquadra alemã, antes que esta fosse destruída. No final da Primeira Guerra, o navio foi comissionado para patrulhar e realizar exercícios e operações navais no Mar do Norte.

Quando o navio retornou a águas australianas, muitos marinheiros se amotinaram. O motivo do motim foi a recusa na concessão de um dia livre a mais para a tripulação quando a embarcação aportou em Fremantle, um porto na Austrália Ocidental. Mas a recusa em conceder um dia extra de descanso aos marinheiros foi apenas o estopim do problema. Outros atritos levaram os marinheiros

TECNOLOGIAS

australianos a se rebelar: a concessão mínima de licenças durante a guerra, problemas de pagamentos do soldo dos marinheiros e o fato de que o pessoal da Marinha Real da Grã-Bretanha passou a receber promoções mais rapidamente do que os australianos.

USS Paulding (DD-22)

O USS Paulding (DD-22) era o navio principal de destróieres que levava seu nome na Marinha dos Estados Unidos. Lançado em abril de 1910, o navio foi designado para fazer parte da Frota de Torpedo do Atlântico, operando na costa Leste dos Estados Unidos após o país entrar na Primeira Guerra Mundial. Depois, o destróier escoltou comboios até a Irlanda, protegendo-os de ataques de *U-boats*.

U-boat

Os submarinos foram usados pela primeira vez durante a Primeira Guerra Mundial. Na época, eram um desenvolvimento bem recente.

Tripulação de U-boat alemã no deck no submarino (c.1914).

Wikicommons

SOBRE HOMENS, MÁQUINAS E NÚMEROS

Os alemães usaram seus U-boots, abreviatura de *Unterseeboot* (barco submarino), principalmente para afundar navios com suprimentos destinados à Grã-Bretanha. Cortando a linha de abastecimento à ilha, os germânicos esperavam vencer o conflito.

Armamentos Leves

A metralhadora foi uma das armas introduzidas na Primeira Guerra Mundial que afetou significativamente as formas de organização da infantaria. Antes, os esquadrões eram grandes, compostos por cem homens. Com o uso de metralhadoras, pelotões e esquadrões menores – com menos soldados por comandante (sargento ou tenente) – eram mais fáceis de organizar, pois, além de os grandes esquadrões serem facilmente divididos pelo fogo inimigo – deixando parte dos homens sem comando – menos homens por pelotão dava mais autonomia ao grupo. Mas isso só foi possível graças ao maior poder letal conferido aos soldados pelo uso de metralhadoras e rifles automáticos.

A metralhadora *Lewis*, de fabricação britânica, foi a primeira metralhadora leve que podia, ao menos teoricamente, ser operada por um só homem. Na verdade, por causa do pente de balas, ela exigia pelo menos dois soldados para ser usada eficientemente.

Os rifles automáticos deram maior poder letal aos soldados. Contudo, na luta dentro das trincheiras – quando uma onda de combatentes tinha sucesso ao invadir a trincheira inimiga –, os rifles eram muito longos para serem disparados a curta distância. Por isso, também eram usados com baionetas, isto é, punhais adaptados à boca do cano da arma.

Outra inovação usada na Primeira Guerra Mundial foi o lança-chamas. Como os *U-boats* e as armas químicas, os alemães foram os primeiros a usar lança-chamas. Isso aconteceu na Batalha de Hooge, na Frente Ocidental, em 30 de julho de 1915. A intenção era expulsar os soldados das trincheiras.

TECNOLOGIAS

Os alemães tinham dois tipos de lança-chamas, um menor, operado por apenas um homem, o *Kleinflammenwerfer*, e outro maior, o *Grossflammenwerfer*, o qual era acionado por dois soldados, um que apontava o cano e outro que carregava o tanque de combustível.

Execução de autoridades civis pelos alemães durante a invasão da Bélgica, em quadro do pintor belga Évariste Carpentier.

CRIMES DE GUERRA

A Primeira Guerra Mundial inaugurou a guerra moderna, indicando tendências, estratégias e tecnologias que continuam, embora aperfeiçoadas, a ser usadas ainda hoje. Uma dessas tendências foi a prática de limpeza étnica, que continuou ao longo de todo o século XX e que vem sendo promovida até hoje (por exemplo, a movida contra os palestinos pelo governo do Likud, ou aos tibetanos, pelo governo chinês). A limpeza étnica pode ser feita deportando, isolando e até mesmo massacrando populações indesejáveis.

Na Primeira Guerra, os crimes de guerra foram relacionados, principalmente, com limpeza étnica (o que incluiu perseguição religiosa) e foram perpetrados pelos Poderes Centrais. A Alemanha e a Áustria-Hungria também promoveram atrocidades contra a população civil da Bélgica (pelos alemães) e da Sérvia (pelos austro-húngaros). Nesse caso, os protagonistas dos massacres afirmavam temer represálias da população, que podia sabotar ferrovias e contra-atacar com campanhas de guerrilha.

Mas o mais radical entre os Poderes Centrais foi o Império Otomano, que promoveu o Holocausto de três populações rebeldes, resultando em milhões de mortos e abrindo caminho para a Solução Final de Hitler, a impensável barbárie que resultou no assassinato de milhões de judeus, poloneses, eslavos, ciganos e outras etnias pelos nazistas durante a Segunda Guerra Mundial.

SOBRE HOMENS, MÁQUINAS E NÚMEROS

O Genocídio dos Armênios

O massacre dos armênios pelos turco-otomanos foi o primeiro genocídio moderno e é o segundo caso de genocídio mais estudado, ficando atrás somente do Holocausto dos nazistas.

Milhares de sobreviventes do Genocídio dos Armênios se estabeleceram em Yerevan, capital da República Democrática da Armênia em 1918.

Logo no começo da Grande Guerra, o Governo dos Jovens Turcos, que assumiu a administração otomana em 1908, via a população armênia do Império como inimiga, uma vez que os armênios apoiaram a Rússia, a maior inimiga dos turcos, no começo da guerra.

Em 1915, vários armênios foram combater ao lado dos russos e o governo viu nisso um pretexto para outorgar uma Lei de Deportação, autorizando a deportação de toda a população armênia das províncias orientais do Império para a Síria, entre 1915 e 1917. As deportações eram, na verdade, pretexto para execuções em massa.

> **Genocídio dos Armênios**
> **Onde:** Império Otomano
> **Quando:** 1915 – 1923
> **Quem praticou:** o Governo dos Jovens Turcos
> **Contra quem:** a população armênia do império
> **Como:** deportação e execução em massa
> **Número de Armênios Mortos:** entre 600 mil e 1,8 milhão
>
> *Fonte: Jones, Adam (2010). Genocide: A Comprehensive Introduction*

Não se sabe ao certo qual foi o número de armênios

CRIMES DE GUERRA

Vítima do genocídio dos armênios, este garoto órfão foi o único sobrevivente de uma família de 15 pessoas.

executados durante as deportações. De acordo com Peter Balakian, que estudou o assunto em profundidade no seu livro *The Burning Tigris: The Armenian Genocide and America's Reaction*,(Harper Collins, Nova York, 2003) foram entre 250 mil a 1,5 milhão de pessoas. Já a Associação Internacional de Estudiosos de Genocídios, uma organização internacional que pesquisa e estuda a natureza, as causas e as consequências de genocídios, estima que mais de um milhão de armênios foram massacrados.

O extermínio da população armênia de sua nação histórica se deu em duas fases. Primeiro, os homens capazes de lutar foram mortos ou sentenciados a trabalhos forçados que levavam, invariavelmente, ao óbito. Em seguida, mulheres, crianças, idosos e inválidos tinham de marchar de leste a oeste do Império, atravessando o Deserto da Síria. O resultado da marcha era, igualmente, a morte.

O genocídio começou em 24 de abril de 1915, na capital Constantinopla, quando as autoridades otomanas prenderam duzentos e cinquenta líderes comunitários e intelectuais armênios. Em seguida, militares expulsaram os armênios das suas casas e os obrigaram a marchar centenas de quilômetros até o deserto da

SOBRE HOMENS, MÁQUINAS E NÚMEROS

Síria, sem lhes fornecer água nem alimento. Nesse processo, eram promovidos massacres. Mulheres, crianças e idosos eram mortos sem a mínima possibilidade de reação. Estupro e abusos sexuais eram comuns.

A República da Turquia, o Estado sucessor do Império Otomano, não aceita a palavra genocídio, pois afirma que o termo não descreve o que de fato aconteceu. No entanto, vinte países reconhecem oficialmente que os eventos perpetrados pelos otomanos contra os armênios nesse período foram, sem dúvida, genocídio.

O Genocídio dos Gregos

Os otomanos aproveitaram a guerra para eliminar as populações contrárias ao seu domínio. O genocídio dos gregos, como o dos armênios, estendeu-se de 1915 a 1923, quando o Império foi abolido e foi proclamada a República da Turquia.

Na Primeira Guerra, o governo dos Jovens Turcos buscou eliminar completamente a população grega de seu país natal. Os métodos utilizados foram os mesmos praticados contra os armênios: deportação, marchas forçadas sem água nem alimento, execuções arbitrárias, destruição de importantes monumentos cristãos ortodoxos. Muitos gregos fugiram da fúria otomana, buscando abrigo no vizinho Império Russo.

A Turquia nega que tenha cometido genocídio na Grécia e justifica a brutalidade, afirmando que os gregos eram simpáticos aos inimigos dos otomanos. Muitos oficiais turco-otomanos foram julgados e condenados

> **Genocídio dos Gregos**
> **Onde:** *Império Otomano*
> **Quando:** *1915 – 1923*
> **Quem praticou:** *Império Otomano*
> **Contra quem:** *a população grega do Império (especialmente pônticos, capadócios e jônicos)*
> **Como:** *deportação e execução em massa*
> **Número de gregos mortos:** *entre 750 mil e 900 mil*
>
> Fonte: Jones, Adam (2010). Genocide: A Comprehensive Introduction

CRIMES DE GUERRA

por crimes de guerra depois do conflito e os governos aliados condenaram os massacres como crimes contra a humanidade. Recentemente, em 2007, a Associação Internacional de Estudiosos de Genocídio emitiu uma resolução, concluindo que a campanha otomana contra as minorias cristãs do Império Otomano – das quais os gregos faziam parte – foi genocídio. Os parlamentos da Grécia, da República de Chipre e da Suécia fizeram o mesmo.

O Genocídio dos Assírios

Embora o número de assírios mortos pelos turco-otomanos tenha sido menor que o de gregos e de armênios, a perseguição a essa etnia, originária da região englobada pelos atuais Iraque e Síria, foi mais duradoura. Ela se estendeu dos anos 1890 até meados da década de 1920.

A perseguição atingiu seu ponto culminante na Primeira Guerra Mundial, quando a população assíria, especialmente os cristãos do norte da Mesopotâmia – a faixa de terra entre os rios Tigre e Eufrates, localizada no atual Iraque – foi expulsa de sua terra natal e massacrada por forças turco-otomanas e curdas.

> **Genocídio dos Assírios**
> **Onde:** *Império Otomano*
> **Quando:** *1890 – 1925*
> **Quem praticou:**
> *Império Otomano*
> **Contra quem:** *a população assíria do Império (especialmente cristãos)*
> **Como:** *deportação e execução em massa*
> **Número de assírios mortos:** *entre 250 mil e 750 mil*
>
> Fonte: Jones, Adam (2010). Genocide: A Comprehensive Introduction

O genocídio dos assírios foi executado no mesmo contexto que o dos armênios e gregos. Como nos outros casos, o Estado turco ainda nega que tenha havido genocídio. No recente estudo *Genocide in the Middle East: The Ottoman Empire, Iraq, and Sudan* (Carolina Academic Press, Durham, 2010), Hannibal Travis afirma que, no total, perto de três milhões de cristãos de etnia assíria, armênia e grega tenham sido assassinados pelo regime dos Jovens Turcos.

O Estupro da Bélgica

Logo no início das hostilidades, os alemães atacaram os franceses. Para tanto, invadiram a Bélgica, a qual era neutra, violando acintosamente as leis internacionais. Embora a propaganda aliada – principalmente a britânica – tenha exagerado propositalmente os acontecimentos, o fato é que os germânicos trataram a população civil com extrema barbárie.

Com efeito, os invasores consideravam qualquer resistência — como a sabotagem de — ferrovias, uma ameaça que deveria ser eliminada a todo custo. Isso incluía incendiar aldeias inteiras e fuzilar civis como forma de retaliação. Por conta disso, nos primeiros meses da guerra, o exército do Kaiser executou mais de seis mil e quinhentos civis franceses e belgas. Segundo John Horne e Alan Kramer, autores do estudo *German Atrocities, 1914: A History of Denial* (New Haven, Yale University Press, 2001) os invasores alemães destruíram entre quinze mil e vinte mil prédios, impelindo uma massa de mais de um milhão de refugiados a buscar asilo em outros países. Milhares de operários foram escravizados. Presos, eram embarcados com destino à Alemanha, onde trabalhavam nas fábricas do inimigo.

A propaganda britânica contra-atacou, criando o termo "Estupro da Bélgica" para descrever o que os germânicos estavam fazendo no país neutro. A diplomacia teutônica respondia, enfatizando que as medidas eram necessárias para impedir a formação de guerrilhas. A briga na imprensa impressionou a opinião pública americana. Diante da barbárie, os Estados Unidos começaram a pender para o lado dos aliados.

Em algumas cidades belgas, como Liège, Andenne, Lovaina e, principalmente, Dinant, as atrocidades contra os civis foram premeditadas. Em seu livro *Dynamic of Destruction: Culture and Mass Killing in the First World War* (Oxford University Press, Oxford, 2007), o historiador na Universidade de Oxford Alan Kramer informa que, no centro e no leste do pequeno país, os

CRIMES DE GUERRA

alemães executaram cerca de 1,5 mil civis indiscriminadamente, inclusive mulheres e crianças.

Em 25 de agosto de 1914, o exército germânico invadiu a cidade de Leuven e visou um alvo que não era nem militar nem estratégico: a cultura. A Biblioteca da Universidade da cidade foi incendiada, perdendo cerca de trezentos mil livros e manuscritos medievais e renascentistas. Cerca de duzentos e cinquenta residentes, entre alunos e professores, foram friamente assassinados. Mais de duas mil casas de Leuven também foram incendiadas e os civis encontrados nos edifícios e nas ruas eram mortos sem qualquer motivo – apesar de os alemães justificarem a barbaridade, afirmando que temiam franco-atiradores. Alimentos, matérias-primas e equipamentos industriais foram saqueados e enviados à Alemanha.

Em Brabante, os alemães fizeram as freiras de um convento local ficarem nuas, humilhando-as da pior forma que essas mulheres poderiam conceber. Na maioria das cidades, o estupro se tornou generalizado. Os alemães também puniam atos de sabotagem incendiando todas as aldeias num raio de vários quilômetros e, em seguida, fuzilavam os prefeitos, prendiam os homens e evacuavam as mulheres e crianças.

Soldado da Grande Guerra posa em frente a um canhão.

CONFRATERNIZANDO COM O INIMIGO

É comum dizer que a guerra é um conflito onde brigam os velhos, mas são os jovens que morrem. Muitos desses jovens são alistados e obrigados a lutar. Outros, influenciados pela propaganda, são voluntários movidos por um entusiasmo que se choca com a crueza das batalhas. A grande maioria, depois de ver a ação, começa a questionar a validade ou a justiça do que estão fazendo. Não são poucos os que voltam do front e passam a militar em movimentos pela paz. Foi assim nas recentes Guerras do Golfo e também na do Vietnã, quando vários veteranos de guerra lideraram campanhas pelo fim do conflito. Também não foram poucos os que se mostraram contrários à Primeira Guerra Mundial.

Chocados com tantas mortes hediondas, traumatizados com o poder de destruição das poderosas armas desenvolvidas, espantados com o número incrível de baixas, muitos soldados se rebelaram e se indisciplinaram na Primeira Guerra. O mais curioso, porém, foi um fato que grassou ao longo das trincheiras da Frente Ocidental na época do Natal de 1914 e que persistiu no ano seguinte – até os velhos colocarem, como sempre, um fim no movimento dos jovens.

A Trégua de Natal espelha bem a natureza humana, tão contraditória como seus atos, por vezes elevados, santificados, por outras, hediondos. E também reflete o mecanismo de um sistema

SOBRE HOMENS, MÁQUINAS E NÚMEROS

perverso no qual uma minoria controla a maioria em prol do interesse de uns poucos indivíduos.

Em dezembro de 1914, houve um cessar fogo espontâneo nas trincheiras que se estendiam frente a frente por três mil quilômetros através da França, desde a fronteira com a Suíça até o Mar do Norte. Na semana que antecedeu o Natal, os soldados começaram a se comunicar com seu inimigo de forma amistosa. Cantavam suas canções de Natal e eram respondidos com as canções dos adversários. Não demorou para que uma certa confiança pairasse no ar. Os mais ousados, aproveitando a atmosfera que se construía à base de canções natalinas, saíram desarmados para a "terra de ninguém", a área não ocupada que separava as trincheiras, a fim de buscar os cadáveres dos companheiros mortos para um enterro digno – e também para evitar doenças e o cheiro tenebroso de carne humana em decomposição.

Aos poucos, dos dois lados, os soldados começaram a sair das trincheiras e confraternizar com o inimigo na "terra de ninguém". Trocavam pequenos presentes – chocolates, cigarros, objetos típicos de seus países. Até mesmo partidas de futebol foram realizadas, evocando a antiga utopia de se resolver as diferenças entre as nações numa disputa esportiva. Também houve funerais em conjunto, isto é, com alemães participando do enterro daqueles que haviam matado e, do outro lado, com britânicos e franceses tomando parte no funeral dos que tinham abatido. Tão contraditório quanto humano.

O movimento foi se intensificando. Na véspera de Natal, mal parecia que aqueles homens estavam ali reunidos em meio à lama constante, cobertos de piolhos e outros parasitas, enfrentando doenças contagiosas e frio intenso para matarem uns aos outros. A "terra de ninguém" estava tomada por dúzias deles que conversavam uns com os outros, bebiam, fumavam e riam. Pareciam mais operários se confraternizando. Operários, de fato: operários da morte que operavam máquinas de destruição em massa. Mas estavam em greve.

Na verdade, nos primeiros meses de guerra de trincheira, houve diversas outras tréguas espontâneas, isto é, sem a decisão ou

CONFRATERNIZANDO COM O INIMIGO

interferência dos oficiais. Nesse período, desenvolveu-se um clima de "viva e deixe viver", como veio a se chamar o comportamento de cooperativismo e de não agressão assumido pelos soldados do Front Ocidental. Houve, em menor escala, até mesmo, episódios de fraternização, onde os inimigos conversavam e trocavam cigarros. Em alguns setores, o fogo era interrompido para se resgatar soldados feridos e buscar os mortos para serem enterrados. Em outros setores da linha de trincheiras, havia um acordo tácito, embora não oficial, de não atirar nos soldados enquanto estes descansavam, exercitavam-se ou trabalhavam, o que era feito à vista do inimigo. Em outros setores do front, não houve, porém, qualquer trégua.

Os generais, tanto de um como de outro lado, ficaram furiosos ao tomar conhecimento dessas tréguas espontâneas. Em seu artigo, *The Truce of Christmas 1914*, publicado na edição de Natal do *The New York Times*, Thomas Vincinguerra afirma que o general britânico Sir Horace Smith-Dorrien ficou muito irado quando soube o que estava acontecendo e proibiu terminantemente a comunicação amigável com as tropas alemãs. Embora a imensa maioria participasse da trégua espontânea – mais de cem mil britânicos tomaram parte no movimento – houve soldados que se opuseram a ela. Adolf Hitler, por exemplo, que era cabo do exército alemão, um mensageiro dedicado e condecorado por bravura, era completamente contrário à trégua.

No ano seguinte, poucas unidades interromperam as hostilidades na época do Natal. Além das ordens e punições severas contra a trégua – houve oficiais que ordenaram bombardeios na véspera e no dia de Natal para evitar as confraternizações –, a guerra de trincheiras tinha ficado mais encarniçada. Em 1916, depois das sangrentas Batalhas do Somme e de Verdun, as quais somam quase um milhão e meio mortos, e depois do uso de armas químicas, os soldados de ambos os lados começaram a se ver com muito menos tolerância e não houve mais tréguas de Natal. O lado humano capaz de buscar alguma paz em meio ao caos tinha cedido ao nosso aspecto capaz de cometer atos hediondos.

4. Das Schwerste ist Paradeschritt,
Da woll'n die Beene nich mehr mit.

Soldados alemães em cartão-postal do tempo da Grande Guerra.

PERSONAGENS

O conflito é um aspecto da humanidade. Como na natureza, que se mantém por meio de um processo autofágico, o homem também reproduz essa realidade no mundo que criou, o mundo da sociedade e da cultura. O Homem tem poucos inimigos naturais – salvo alguns vírus, bactérias e seus transmissores –, mas o pior inimigo da humanidade é o próprio Homem. Desde o início da civilização, hordas de guerreiros saqueiam aldeias, matam os homens, estupram as mulheres, escravizam as crianças. O Homem é o lobo do Homem.

Mas em meio ao conflito surgem histórias humanas, imbuídas de todas as contradições que nos caracterizam. Afinal, como dizia o dramaturgo Plínio Marcos, "sem conflito não há história". E as histórias da Primeira Guerra estão repletas de heroísmo, ódio, altruísmo, traição, covardia, coragem e ousadia em meio à destruição e ao caos. Lições de vida que lembram as sábias palavras que Guimarães Rosa colocou na boca do jagunço Riobaldo, em *Grande Sertão Veredas:* o que a vida "quer da gente é coragem".

A Primeira Guerra Mundial foi uma guerra em massa, industrial, movida por operários da morte operando máquinas de destruição. Uma carnificina até então sem igual. Milhões de vidas ceifadas, outros milhões de sobreviventes feridos, falidos, traumatizados. Uma geração amaldiçoada que ainda enfrentaria uma consequência

SOBRE HOMENS, MÁQUINAS E NÚMEROS

maior duas décadas depois com o pesadelo da Segunda Guerra Mundial. São milhões de histórias anônimas. Mas em meio a esses milhões de vidas tragadas pelo conflito, alguns personagens – não muitos – continuaram a ser lembrados através das décadas.

Os homens e as mulheres que viveram essas histórias acabaram virando mitos não só por conta das suas experiências pessoais, mas também porque suas vivências espelham aspectos particulares da guerra. Heróis dos ares, do deserto, das trincheiras, soldados comuns, garotos de 18-19 anos, destacaram-se cada qual em seu teatro, como atores cujos espetáculos estão intrinsecamente ligados aos cenários.

Estas são as histórias de alguns deles:

O Barão Vermelho

Manfred Albrecht Freiherr von Richthofen (1892 – 1918) foi o maior ás da Primeira Guerra Mundial e um dos símbolos sempre relacionados ao conflito. O Barão Vermelho, como era chamado, abateu oitenta aviões em sua carreira, mais que qualquer outro piloto.

Manfred Von Richtofen, o Barão Vermelho.

PERSONAGENS

Von Richthofen era membro de uma família da nobreza alemã, composta de militares. Era um *Freiherr*, ou Senhor Livre, um título quase sempre traduzido como Barão. Por conta disso e por seu avião ser pintado de vermelho, ficou conhecido como Barão Vermelho. Mas os aliados tinham outros apelidos para ele. Os franceses o chamavam de Diabo Vermelho (*Le Diable Rouge*); e os britânicos, de Cavaleiro Vermelho (*Red Knight*). Na Alemanha seu apelido era Piloto de Combate Vermelho (*Der Rote Kampfflieger*).

Seguindo a tradição da família, von Richthofen entrou para a escola militar muito cedo, aos 11 anos. Em 1911, depois de completar o treinamento como cadete, foi para a cavalaria.

No começo da Primeira Guerra, von Richthofen serviu tanto na Frente Ocidental como na Oriental, fazendo reconhecimentos, participando de combates na Rússia, França e Bélgica. No entanto, as metralhadoras e os arames farpados tornaram a cavalaria obsoleta. Assim, von Richthofen pediu transferência para o Serviço Aéreo do Exército Imperial Alemão. Aceito, começou seu treinamento em outubro de 1915.

Durante o treinamento, o Barão Vermelho era um piloto abaixo da média. Tinha dificuldade para controlar o avião e chegou até mesmo a colidir durante seu voo inaugural. Contudo, um ano depois já era um dos pilotos mais conhecidos dos esquadrões aéreos germânicos. Apesar de não ser hábil em acrobacias, como seu irmão Lothar von Richthofen, outro ás alemão que abateu 40 aviões na Primeira Guerra, o Barão Vermelho era um tático excepcional e talentoso líder de esquadrilha, além de ter uma ótima pontaria.

Em 1917, com a fundação da Força Aérea da Alemanha, o Barão Vermelho foi promovido a comandante de um dos esquadrões, o Jasta 11 e, pouco depois, de uma unidade maior, a Jadgeschwader 1, mais conhecida como Circo Voador. Em 1918, aos 26 anos, era um herói nacional em seu país e famoso entre os inimigos.

SOBRE HOMENS, MÁQUINAS E NÚMEROS

O Barão Vermelho não viu, porém, o final da guerra. Foi abatido perto da cidade francesa de Amiens, em 21 de abril de 1918, pouco depois das 11h00. Em seu livro, *Flying Stories* (Octopus Books, Londres, 1982), Hayden McAllister conta que o Barão estava perseguindo um biplano *Sopwith Camel* pilotado pelo tenente canadense Wilfrid "Wop" May da Esquadrilha 209 da Real Força Aérea, quando foi atingido no peito por uma bala calibre 0,303 mm. Von Richthofen ainda conseguiu pousar atrás das linhas inimigas, num setor controlado pela Força Imperial Australiana. Quando os primeiros soldados chegaram ao avião do Barão Vermelho, ele ainda estava vivo, mas morreu em seguida.

Os aliados providenciaram um funeral com honras militares ao piloto inimigo. Von Richthofen foi enterrado no cemitério de Bertangles, perto de Amiens. Seu caixão foi levado por seis capitães aliados, da mesma patente do Barão Vermelho, e uma guarda de honra deu várias salvas de tiros em homenagem ao morto. Os esquadrões aliados estacionados próximos àquela posição enviaram diversas guirlandas de flores. Numa delas, lia-se: "ao nosso galante e valoroso inimigo".

Nada mais contraditório. Nada mais humano.

Lawrence da Arábia

Um dos personagens mais famosos da Primeira Guerra Mundial foi o oficial britânico Thomas Edward Lawrence (1888 – 1935), mais conhecido pelo seu apelido, Lawrence da Arábia. Além de ter sido uma figura vital na Revolta Árabe que ajudou a derrotar os turco-otomanos, ele encerrava em si diversas características envoltas em romantismo.

Arqueólogo de formação, com experiência em escavações no Egito, durante a guerra foi espião e agente entre os árabes, os quais convenceu a lutar ao lado dos aliados contra o Império Otomano. Suas aventuras e as pessoas com quem conviveu, bem como sua habilidade em relatá-las na autobiografia o projetaram, tornando-o uma figura pública das mais notórias em seu país natal. Sua história

PERSONAGENS

foi para o cinema num filme de 1962 dirigido por David Lean e estrelado por Peter O'Toole, o qual foi contemplado com sete prêmios Oscar.

O oficial britânico Lawrence da Arábia, motociclista apaixonado.

Thomas Lawrence nasceu no País de Gales em 1888. Seu nascimento foi resultado de um escândalo, quando Sir Thomas Chapman deixou a esposa e os filhos na Irlanda para viver com a governanta da sua casa, Sarah Junner, no País de Gales. Para evitar serem mal falados na pequena aldeia galesa, eles chamavam a si mesmos de senhor e senhora Lawrence.

Thomas foi um aluno brilhante. Era poliglota, fluente em francês, grego, arcaico e árabe. Tornou-se arqueólogo e foi trabalhar em escavações no Oriente Médio. Em janeiro de 1914, pouco antes do começo da guerra, Lawrence foi recrutado pelo exército britânico para fazer um levantamento no Deserto de Neguev, em Israel.

O Departamento Árabe do Ministério do Exterior Britânico, um serviço de inteligência baseado no Cairo (Egito), tinha planejado uma campanha contra o Império Otomano baseada numa insurgência interna, estimulada e financiada pelos aliados. Havia, de fato, tribos e lideranças nacionais que desejavam a independência e que, se fossem instigadas e recebessem ajuda, penderiam para o lado britânico. Isso minaria os otomanos, desviando recursos preciosos para conter as rebeliões internas.

SOBRE HOMENS, MÁQUINAS E NÚMEROS

Como conhecia bem a Síria, o Egito, a Palestina e a região do atual Iraque (então chamada pelo nome antigo, Mesopotâmia), quando o conflito explodiu, Lawrence foi designado para o serviço de inteligência, no Cairo. De acordo com o escritor Charles Parnell, em outubro de 1916, foi enviado para trabalhar com as forças hachemitas, um importante clã da tribo dos coraixitas, em Hejaz, no oeste da atual Arábia Saudita.

Lawrence tinha por hábito adotar as roupas locais em suas viagens e continuou a fazer o mesmo no exército. Há diversas fotografias dele usando um *dishdasha*, a túnica tradicional árabe, e cavalgando em camelos. Esse costume de se vestir como os árabes faz parte do folclore que circunda esse personagem. Lawrence era, de fato, muito interessado no universo árabe.

Durante o conflito, Lawrence combateu em ações de guerrilha ao lado de tropas árabes irregulares sob o comando de Emir Faisal. Numa intervenção importante, Lawrence conseguiu o apoio da marinha britânica para repelir um ataque em Yenbu, em dezembro de 1916. A maior contribuição de Lawrence foi, porém, convencer os líderes árabes a coordenar suas ações de forma que apoiassem a estratégia dos britânicos. Ele persuadiu os beduínos a não fazer um ataque frontal contra a fortaleza otomana em Medina, convencendo-os a esperar que o exército otomano enviasse mais tropas para Medina para, em seguida, atacar o ponto fraco dos turcos, a ferrovia de Hejaz, por onde eram enviados suprimentos a Medina. Por conta da ação, várias divisões otomanas foram mobilizadas para proteger não só Medina, mas também a ferrovia, enfraquecendo outras posições que precisavam manter.

Depois de coordenar importantes vitórias, como a captura de Aqaba e a Batalha de Tafilah, Lawrence se envolveu, nas últimas semanas da guerra, na captura de Damasco. Para sua decepção, ele só chegou à capital síria horas depois da queda.

PERSONAGENS

Depois da guerra, Lawrence trabalhou no Ministério Exterior. Aproveitando a fama, escreveu suas aventuras num livro que chamou de *Sete Pilares da Sabedoria*. Celebrado em seu país natal, morreu em 1935 num acidente de motocicleta, uma de suas grandes paixões.

Sargento York

Alvin Cullum York foi, provavelmente, o soldado americano mais condecorado da Primeira Guerra Mundial. York recebeu a Medalha de Honra, a mais importante condecoração dos Estados Unidos, por liderar a tomada de uma casamata alemã armada, capturando trinta e duas metralhadoras, matando sozinho vinte e oito alemães e ajudando a capturar outros centro e trinta e dois, durante a Ofensiva Meuse-Argonne, na França, empreendida pelos americanos.

Alvin York era um homem robusto, ruivo, descendente de anglo-saxões, com quase 1,90 metro de altura. Nasceu em 13 de dezembro de 1887 numa cabana de troncos nas montanhas do Tennessee. Era o terceiro de onze filhos.

A família York era pobre. O pai, William York, cultivava e criava tudo o que a família consumia. A carne era sempre de caça. Para complementar a renda, William trabalhava como ferreiro. A mãe de Alvin costurava toda a roupa que a família usava. Os filhos frequentaram a escola durante apenas um ano letivo – o suficiente para aprender a ler e a escrever. O pai da família precisava de ajuda na fazenda. Em 1911, quando Alvin tinha 23 anos, seu pai morreu e, como seus dois irmãos mais velhos já tinham se casado e viviam com suas famílias, ele assumiu o sustento da mãe e dos oito irmãos menores.

Embora fosse trabalhador, Alvin tinha um gênio péssimo. Frequentemente embriagava-se nos *saloons* locais e arrumava brigas. Várias vezes foi preso. Um dos seus biógrafos, Michael Birdwell, autor de *Legends and Traditions of the Great War: Sergeant Alvin York* (Broadman & Holman, Nashville, 1997), conta que sua mãe, membro de uma denominação protestante pacifista, tentava,

SOBRE HOMENS, MÁQUINAS E NÚMEROS

sem sucesso, convencer o filho a mudar seus modos. Ela não imaginava que o gênio violento do filho acabaria por torná-lo um herói. Apesar das bebedeiras e das brigas, York frequentava a igreja com regularidade e quase sempre era quem liderava os hinos – a eterna contradição humana.

Quando a guerra estourou, Alvin York se preocupou. Numa palestra que deu no final da vida, ele admitiu que "não queria ir [*para a guerra*] e matar. Eu acreditava na Bíblia". De acordo com Christopher Capozzola, autor de *Uncle Sam Wants You: World War I and the Making of the Modern American Citizen* (Oxford University Press, USA, 2008), quando York se registrou no Exército, na época condição obrigatória para todos os homens americanos de 21 a 31 anos, ele respondeu à pergunta "há restrições à convocação", com uma simplicidade infantil: "Sim. Não quero lutar". É claro que a resposta não comoveu os oficiais e York foi convocado.

Durante o treinamento, acabou se conciliando com a necessidade de combater. Seus superiores mostraram a ele passagens violentas da Bíblia, justificando matar outros seres humanos – embora isso contradissesse o quinto Mandamento de Moisés, "Não matarás", e outro mandamento de Jesus, "Amai-vos uns aos outros como eu vos amei".

A pregação dos superiores funcionou. Em ação, York revelou-se um combatente mortal. Em 8 de outubro de 1918, durante um ataque do seu batalhão para capturar posições alemãs ao longo da ferrovia Decauville, na França, a atuação de York lhe valeu a Medalha de Honra.

Sob intenso fogo inimigo, o qual dizimou muitos homens de seu pelotão, York e mais dezesseis homens receberam ordens de se infiltrar na retaguarda da posição germânica e tomá-la.

Os soldados capturaram as metralhadoras, mas os alemães continuaram a atirar. York deixou seus homens abrigados e foi, sozinho, enfrentar os alemães. Atirando rapidamente, matou 22 deles. Então, a

PERSONAGENS

munição do seu rifle automático acabou. Seis alemães numa trincheira próxima perceberam e o atacaram com baionetas, mas York sacou o revólver Colt 45 e atirou contra os alemães, acertando os seis tiros.

Como resultado de sua ação individual, York foi imediatamente promovido a sargento condecorado com a Cruz de Serviço Distinto, a segunda condecoração mais importante do exército americano, em reconhecimento ao seu heroísmo. Alguns meses depois, quando foram concluídas as investigações minuciosas sobre seus feitos, York recebeu a Medalha de Honra.

Sua impetuosidade em combate (e também o reconhecimento que recebeu) impulsionou outros atos de bravura. Numa batalha subsequente, York repetiu proezas semelhantes, capturando, com ajuda do pelotão que passou a comandar, outra casamata e fazendo 128 prisioneiros. No total, o sargento chegou a receber cinquenta condecorações.

Os feitos de York não eram conhecidos nos Estados Unidos, até mesmo no Tennessee, até que uma edição especial da revista *Saturday Evening Post* – em de 26 de abril de 1919 – contou os atos de heroísmo do sargento.

De volta aos Estados Unidos, York se tornou uma celebridade. Casou-se e constituiu família logo depois que chegou. Contudo, ele se recusou a aproveitar sua imagem em benefício próprio. Não aceitou, nem mesmo, milhares de dólares em publicidade. Em vez disso, emprestou sua imagem gratuitamente a instituições cívicas e de caridade. Ele também iniciou uma fundação para ajudar na educação de crianças pobres das montanhas do Tennessee. Essa foi sua maior ocupação depois da guerra. Por conta da generosidade, com a crise do final dos anos 1920, o sargento enfrentou dificuldades financeiras.

Em 1948, York teve um derrame, agravado por outros mais que o confinaram na cama a partir de 1954. Passou dez anos nessa situação, morrendo de hemorragia cerebral em 2 de setembro de 1964.

Soldados americanos no refeitório do campo de treinamento militar de Chillicothe, Ohio.

SOLDADOS ANÔNIMOS

As cartas dos soldados, bem como das suas famílias e namoradas contam a Primeira Guerra Mundial de um ponto de vista diferente do relatado nos livros de História. Ao contrário dos textos frios e distantes, espelham o lado humano da guerra. Não trazem comentários sobre estratégias, nem analisam taticamente essa ou aquela campanha, mas revelam as esperanças e os temores dos protagonistas daquela que seria a "guerra para terminar com todas as guerras".

Muitas dessas cartas foram arquivadas na biblioteca do Museu da Guerra, em Londres, e algumas delas foram disponibilizadas online pela BBC. Selecionamos algumas para mostrar um pouco do universo desses heróis anônimos.

Os Noivos

O soldado William Martin e Emily Chitticks estavam noivos quando ele foi morto em combate, em 27 de março de 1917. Enquanto ele estava lutando na França, o casal escrevia um para o outro sempre que possível. Emily ficou desolada quando soube da morte do noivo e nunca se casou. Quando ela morreu, em 1974, havia um bilhete entre suas coisas pedindo para que as cartas de William fossem enterradas com ela.

SOBRE HOMENS, MÁQUINAS E NÚMEROS

França, 24 de maço de 1917

Minha Emily,

Apenas algumas linhas para dizer que ainda estou na terra dos vivos e passando bem. Espero que você também esteja, minha querida. Acabo de receber sua carta e fiquei muito feliz. Chegou pontualmente desta vez, pois demorou apenas cinco dias.

Não estamos no mesmo lugar, Emily. Na verdade avançamos um pouco. O tempo está bom e espero que continue assim. Eu rezo para que essa guerra acabe logo e possamos nos reunir de novo.

Muito amor,

Do seu Will

Três dias depois de ter escrito essa carta, William Martin foi morto. Sem saber que ele tinha morrido, Emily Chitticks continuou a escrever para ele. Mas, por algum motivo que a moça não soube explicar, no dia seguinte à morte do noivo, ela começou a usar tinta vermelha. Cinco de suas cartas voltaram marcadas com a anotação "morto em ação".

29 de março de 1917

Meu querido Will,

Fiquei tão feliz ao receber sua carta essa manhã e saber que você está bem! Por aqui as coisas estão indo e espero que esta carta o encontre com muita saúde.

Fico contente de saber que você está recebendo minha correspondência. Não espero a sua para escrever, pois você teria de ficar muito tempo sem resposta. Além do mais, suponho que você fique feliz ao receber tantas notícias minhas quantas forem possíveis.

SOLDADOS ANÔNIMOS

Entendo, meu querido, que você não possa escrever com tanta frequência. Mas não se preocupe. Logo me acostumarei a esperar.

Bem querido, não sei mais o que dizer e estou ficando com sono. Ah, como eu queria que você estivesse aqui, meu amor! Entretanto, bem sei que não é bom desejar.

Muito amor,

Da sua sempre

Emily

Fonte: http://news.bbc.co.uk/2/hi/special_report/1998/10/98/world_war_i/194332.stm

Pressentimento

O soldado raso Frank Earley escrevia regularmente para a família. Suas cartas eram, quase sempre, cheias de entusiasmo. Contudo, a última carta que escreveu, datada de 1 de setembro de 1918, parecia quase uma despedida. No dia seguinte, Frank Earley foi atingido no peito e morreu poucas horas depois. Tinha 19 anos.

Domingo à tarde, 1 de setembro de 1918

Meu caro pai,

É um sentimento estranho, mas real, que a cada carta que escrevo para casa, para você ou para minhas irmãzinhas, seja a última. Não quero que pense que estou deprimido. Pelo contrário, estou muito contente. Mas sempre me vem a percepção do quanto a morte está próxima de nós. Uma semana atrás eu estava conversando com um homem, um católico de Preston, que está aqui há quase quatro anos, incólume. Ele tinha certeza de que daria baixa logo. E agora está morto – morto num segundo, durante nosso último avanço. Bom, foi a vontade de Deus.

Escrevo isso porque espero que perceba, como eu, a

possibilidade de o mesmo acontecer comigo. Fico feliz de poder pensar isso sem medo. Quero sobreviver por você e pelas minhas irmãzinhas! Estou preparado para dar minha vida como muitos fizeram. Tudo o que posso fazer é colocar nas mãos de Deus e pedir que você e as pequenas rezem por mim ao Sagrado Coração e à Nossa Senhora.

Espero que vocês ainda não se mudem da casa velha. Escreva-me avisando se alguma coisa acontecer. Soube que você foi a Preston há alguns dias. Parece que faz anos que eu quase me afoguei no canal.

Bom, não tenho mais tempo e preciso ir.

Com meu amor. Reze por mim.

Seu filho Frank

Sacrifício em Família

Ted Poole era irmão mais novo de um soldado morto na Terceira Batalha de Ypres, em 1917.

Ted foi convocado nos meses finais da guerra, em maio de 1918, e treinado no campo de Aldershot, de onde escreveu a carta abaixo. Nela, o jovem soldado responde às preocupações do pai que, já tendo perdido um filho, queria que Ted se aplicasse nos treinamentos para aumentar suas chances de sobreviver.

28 de maio de 1918

Caro pai,

Apenas algumas linhas para responder sua carta, a qual recebi hoje.

Sim, já me acostumei com as polainas, agora que elas se moldaram às minhas pernas e também com o resto do equipamento, meu rifle e baioneta e agora, sempre que entro em formação, tenho de usar meu cinto, cartucheira, baioneta e rifle.

SOLDADOS ANÔNIMOS

Eles nos ensinaram técnicas de luta com baioneta hoje e os braços doem quando a gente aponta na direção do inimigo imaginário, com o rifle na altura do peito. Acho que esse treinamento duro ou vai fazer de mim um homem, ou vai me matar. Você precisava me ver de capacete e de máscara de gás. Iria rir, especialmente porque o capacete balança de um lado para outro quando ando.

Estou me alimentando bem e, como você pode comer uma refeição extra depois do jantar, pode apostar que sempre como. Estou seguindo seu conselho e comendo tudo o que posso.

Sim, lembrei-me do aniversário de Dolly e mandei uma faixa do nosso regimento, o que ela já tinha me pedido. E você terá de dizer à senhorita Farmer que ela terá de esperar pelo menos dois meses para me ver quando eu conseguir uma licença.

Vou perguntar ao oficial sobre a pensão amanhã ou depois, pois ouvi falar de dois ou três rapazes cujas mães estão recebendo pensão, mas não sei de quanto.

Bem, vou parando por aqui, pois não tenho mais nada para contar no momento. Espero que todos estejam bem.

Do seu filho amoroso,

Ted,

P.S. Mande minhas lembranças para Dolly e Frank

Ted foi enviado para lutar na França em agosto de 1918. Dois meses depois, em 13 de outubro, foi morto em combate, aos 18 anos.

Sacerdotes posam com crianças órfãs na Bélgica durante a Primeira Guerra Mundial.

MEMÓRIAS DA GRANDE GUERRA

Em 1999, Apolônia Strauss, austríaca que imigrou para o Brasil depois da Primeira Guerra Mundial, deu diversos depoimentos para um projeto de memória que o autor estava dirigindo na época, falando sobre as experiências de sua família durante o conflito. Enquanto o chefe da família lutava na frente Sul, Apolônia, as irmãs e a mãe, Joana Strauss, permaneceram em Viena, onde a carestia era enorme. Esta é a história da família durante a guerra.

Joana Gerger nasceu em 1890, não se sabe nem o dia nem o mês. Seu pai, Johan Gerger, era um camponês de Rauchwart, no estado austríaco de Burgenland, e a mãe, Clara, tinha mais três filhos. A vida de Joana foi redigida pelas linhas dramáticas dos conflitos de ascensão dos países centro-europeus. Como sua própria terra natal, conheceu a decadência no apogeu da existência, padecendo à míngua da história que se impunha cruelmente sobre os lares e as famílias, anulando sonhos e amputando realizações.

A infância de Joana aconteceu num tempo em que a Áustria atravessava uma pequena calmaria depois de fortes chuvas. Na verdade, tal paz prenunciava uma tempestade ainda maior. Na Europa, todo o século XIX foi marcado por conflitos que desenhavam a nova distribuição do poder. Movimentos políticos e sociais que foram deflagrados pela Revolução Francesa e que, numa corrente de eventos, só se estabilizariam, crise após crise, após a queda do Muro de Berlim.

Mas, naquele momento, os acontecimentos proporcionados pela trôpega nobreza, que lutava para não sucumbir à história, pouco afetavam Joana e os seus em Burgenland. Região agrícola, produtora de alimentos e recursos, ainda podia sustentar seus habitantes, mesmo numa nação que se preparava para a guerra.

As notícias não chegavam com frequência à pequena Rauchwart. Seus habitantes, cidadãos austríacos, católicos, senhores do Império, tinham privilégio sobre as várias etnias que compunham a nação – uma colcha de retalhos linguísticos, étnicos e religiosos. Defendiam a supremacia de Viena e as rodas de cerveja no GuestHauss local eram animadas pelas memórias dos veteranos das campanhas na vizinha Hungria.

A infância de Joana foi pontuada de tarefas. Como segunda dos quatro filhos de Clara, tinha de cuidar dos irmãos menores Johan e Maria, além de ajudar o mais velho, Karl, e o pai na roça. No campo havia muito trabalho e não se perderia tempo com devaneios. Desde muito menina, ela acordava com o raiar do dia, ia buscar água no poço, cortava lenha, acendia o fogão, ajudava a mãe a preparar a refeição que os homens levariam para a lavoura e, quando não ia ela mesma lavrar, passava o dia trabalhando na casa e ajudando a mãe na fabricação de compotas, queijos e embutidos. Além disso, frequentava a escola primária da aldeia. Havia uma relativa fartura, mas não dinheiro.

As antigas casas dos camponeses austríacos eram bem simples: dois cômodos, cozinha e uma sala onde a família se reunia e fazia suas refeições. O teto era forrado com terra e o telhado coberto de feno. A casa dos Gerger, no entanto, tinha um luxo pouco comum na época: banheiro dentro de casa. Dormia-se cedo, acordava-se cedo e os familiares estavam, em geral, cansados demais para conversar. Joana era uma menina quieta, reservada. Encarava seus afazeres com dedicação e seriedade, como se já soubesse o que o futuro lhe reservava. Quando tinha oito anos, em 1898, a imperatriz Sissi foi assassinada por um anarquista italiano, com

MEMÓRIAS DA GRANDE GUERRA

um golpe de lima no coração. Talvez este incidente fosse como um primeiro raio anunciando a tempestade que se armava.

A vida social de Rauchwart girava em torno da Igreja. A Áustria é um país de maioria católica e Joana, tal qual sua família, não era exceção. Muito fervorosa, era devota da Santa Maria. Frequentava a igreja e, à medida que crescia, participava dos trabalhos da comunidade beneficente local. Acabou se tornando Legionária de Maria, visitando e levando consolo e oração aos doentes de hospitais e asilos da região (às vezes ia até Budapeste, na Hungria, confortar alguém necessitado, ajudando os necessitados do jeito que podia).

Os acontecimentos mais esperados do ano eram as festas da igreja, que nos tempos pagãos marcavam o começo das estações. E, colheita após colheita, o mundo mudava aos olhos da menina, que agora já era moça. Nas festas e no GuestHauss da vila, onde tinha baile toda semana, Joana começou a notar um certo aprendiz de ferreiro, alegre, comunicativo, bom bebedor e dançarino. Karl Strauss, olhos castanhos, cabelo ondulado, vaidoso, era o oposto dela, tímida e reservada. Talvez por isso mesmo tenham se atraído tanto. Com o tempo começaram a namorar e, em 1906, aos 16 anos, Joana ficou grávida. Karl, então com 19 anos e já oficial ferreiro, casou-se com ela e foram morar numa casa bastante confortável, que os Gerger lhes tinham dado.

Em 21 de fevereiro de 1907 nasceu Apolônia, logo apelidada de Plonie. Os pais queriam chamar a filha de Eleonora, mas o padre da única igreja de Rauchwart, que mandava e desmandava na vida da comunidade, queria que o nome do bebê fosse Apolônia, a padroeira dos dentistas (pois quando foi sacrificada pelos romanos, teve seus dentes arrancados como suplício). Os pais acabaram cedendo às pressões do sacerdote, talvez porque suas orelhas ainda estivessem quentes com os sermões que tinham ouvido. Sendo assim, a primeira filha foi batizada Apolônia.

Em 1909, Joana deu à luz uma menina, Maria, o nome da santa de sua fé. Mas, para os de casa, ela era Mitze.

SOBRE HOMENS, MÁQUINAS E NÚMEROS

A família aumentava e os recursos iam ficando cada vez mais escassos. Províncias revoltosas minavam a união do Estado, que ruía por causa da impossibilidade de manter sua hegemonia. O Exército, sempre de prontidão, exigia suprimentos, roupas, munição, cavalos e, naquele momento crucial da história da Áustria e de toda a Europa, todos os esforços eram voltados para a manutenção e expansão das fronteiras.

Em 1910, Joana ficou grávida de novo e, no ano seguinte, deu à luz Ângela. Meses depois já estava à espera de Karl, o único menino, nascido em 1913.

Rauchwart ficou pequena demais para os Strauss. Não havia trabalho suficiente que permitisse ao ferreiro sustentar os seus. Por isso, decidiram mudar-se para Viena. A família foi separada. Ângela, então com dois anos, e Karl, recém-nascido, ficaram com os avós maternos em Burgenland. A fome assolava a Áustria e deixar os filhos menores aumentava as chances de sobrevivência. Porém, os Strauss nunca mais voltariam a viver todos juntos outra vez. Foi um golpe duro em Joana. Deixar seus bebês, não poder vê-los crescer, causou nela uma ferida funda. Um corte que nunca mais se cicatrizou e que, com o tempo, infeccionou-se e a prostrou.

Viena, 1913. Quando os Strauss lá chegaram, Viena era um importante centro cultural, característica que a tinha consagrado como uma das principais capitais europeias, lar de artistas e pensadores, como Brahms e Freud, e palco para a apresentação de suas obras. A grandiosidade do país tomava corpo na imponência das construções da metrópole. O Hofburg (o palácio imperial), a igreja de São Pedro, os, então, novos teatros e prédios administrativos do boulevard Ringstrasse, impressionaram Karl e Joana. Mas aquele era um mundo restrito. O acesso àquela vida onírica de especulações artísticas e filosóficas estava muito além para aqueles cuja luta era a sobrevivência.

A família se instalou no décimo primeiro bairro, o XL Bezirk, no subúrbio. Alugaram um apartamento de dois cômodos no edifício de propriedade dos Kratzinger.

Brigite, a madrinha de Apolônia, já estava morando na capital e ajudou Joana a conseguir um emprego no Zentralfriedhoff, o maior cemitério da cidade. Brigite também trabalhava lá, e as amigas limpavam e cuidavam dos túmulos, canteiros e jardins. Karl não teve dificuldade em conseguir serviço como ferreiro. Mesmo assim, o que o casal ganhava não era suficiente para sustentar a si e as filhas. Durante as colheitas, as meninas iam aos campos, nos arredores da cidade, catar os refugos dos agricultores. Eram restos de tubérculos, espigas quebradas e folhas murchas que elas mesmas cozinhavam e serviam no jantar como complemento ao que os pais traziam. Plonie tinha seis anos e Mitze, quatro.

Quando a Grande Guerra estourou, Karl foi convocado. Foi designado para a Ístria, na Croácia, para o importante porto de Pula. No começo da guerra, Karl trabalhou como ferreiro. Naquele tempo, os cavalos eram um importante meio de tração, já que os motores ainda eram bastante ineficientes. Karl serviu na Frente Sul, onde um sem número de tropas austríacas estavam estacionadas, defendendo uma posição vital. Pula, para onde foi designado, é uma das três maiores cidades da Ístria; um porto localizado estrategicamente no extremo sul da península. O ferreiro trabalhava atrás das linhas de combate, afastado das trincheiras infectadas. O pai, nesse tremendo conflito que invadiu a vida dos Strauss, tentava estar com os seus de todas as formas possíveis. O correio ia do front a Viena, relativamente rápido, de trem. Karl, sempre que podia, mandava a melhor parte de sua ração para a família. Junto com as cartas, Joana recebia laranjas. Era uma alegria. Vinham numa caixa de sapato, umas cinco ou seis. No Norte da Europa, essa fruta era muito rara. Às vezes, uma só laranja era motivo de festa. As pessoas discutiam entusiasmadas se dividiriam seus gomos ou se a usariam numa receita mais sofisticada.

Porém, mesmo as cartas e os presentes não melhoravam a situação de Joana e das meninas. Ângela e o pequeno Karl passavam bem em Rauchwart com os avós, mas as coisas iam mal em Viena. Os recursos

SOBRE HOMENS, MÁQUINAS E NÚMEROS

diminuíram a proporções insustentáveis. A irmã de Joana, Maria, tinha ido morar com eles na capital e também trabalhava no Zentralfriedhof. O que as duas ganhavam não era suficiente para comer. Agora, Plonie e Mitze frequentavam um colégio de freiras em regime de semi-internato. Passavam o dia todo lá. Estudavam, faxinavam e sofriam os maus-tratos das freiras, que chamavam a si mesmas de "irmãs de caridade". Essas "irmãs de caridade" eram muito exigentes com o cumprimento das obrigações que impunham e, frequentemente, colocavam alguma das alunas de castigo, ajoelhada sobre grãos de milho, ou batiam na ponta de seus dedos com a palmatória.

Assim, a família sobreviveu mal à guerra. Devido à carestia, a ficar sem comer para dar sua porção de alimento às filhas, e ao trabalho exaustivo, Joana contraiu tuberculose. Com o fim do conflito, Karl retornou à Viena. Apesar da derrota e dos maus bocados que passou no front, Karl estava feliz por voltar aos seus. Mas o estado de Joana era alarmante. Fraca, esquálida e tossindo muito, não era sequer a sombra da mulher que tinha acompanhado o marido à estação de trem, quatro anos antes, quando ele embarcara para o front. A primeira atitude, ao voltar de Pula, foi a de lutar pela recuperação da esposa.

A carência material na Áustria, depois da guerra, estava ainda pior do que tinha sido antes do conflito. Muita gente, para fugir da miséria, imigrava, como a madrinha de Apolônia, Brigite, que foi para os Estados Unidos. Mas imigrar não era possível no estado de saúde em que Joana se encontrava. Tampouco era possível tratar dela em Viena, pois Karl teria de trabalhar e cuidar das filhas. A solução, então, foi levá-la de volta para a casa da sua mãe, Clara Gerger, em Rauchwart. Lá, respirando o ar saudável de Burgenland, talvez fosse possível que Joana se curasse. E assim foi feito. Joana ficou com Ângela e o pequeno Karl, que agora tinham sete e cinco anos, na casa dos seus pais em Rauchwart. Karl ficou morando em Viena com Apolônia, Mitze e Maria, a cunhada.

Em Viena, Karl voltou a trabalhar como ferreiro; as meninas não ficavam mais o dia inteiro na escola, pois, além de estudar, tinham

MEMÓRIAS DA GRANDE GUERRA

de cuidar da casa; Maria vivia com eles e ajudava com o que ganhava no Zentralfriedhof. Continuavam morando no prédio dos Kratzinger, no subúrbio XL Bezirk.

À noite, Karl chegava cansado e desanimado. Triste, sentava-se para jantar, servido pelas filhas, que o observavam comer chorando baixinho, impotente, sem poder ajudar a esposa. Assim passou o ano de 1919. Plonie tinha 12 anos e sabia muito bem o que estava acontecendo: o pai já não alimentava esperanças de que a mãe delas fosse ficar boa. A confirmação disso foi uma carta, da própria Joana, para Plonie. Pedia que a filha comprasse meias pretas para ela. A menina escreveu de volta à mãe perguntando o que ela iria fazer com as tais meias, já que ela estava de cama e não podia sair. A carta de Joana foi um golpe em Plonie: "quero as meias para ser enterrada com elas", respondeu a mãe.

Em abril de 1921 a família se reuniu, pela última vez, em Rauchwart, em torno do leito de morte de Joana. Karl, Plonie, Mitze, Ângela e o pequeno Karl. Era o fim. Como a própria Áustria, a família tinha se desmembrado, perdendo seu elo de união: a mãe, a mulher, simbolizada nos mitos pela terra fértil. O pai (o Governo) estava sem rumo. O ferreiro (como o poderoso Regin, das lendas nórdicas) capaz de submeter os metais, o soldado (como Tir, o antigo deus germânico) que sobreviveu à carnificina da guerra, estava desamparado. Só, sem recursos, responsável por três filhas e um menino de sete anos. Envolto pela placidez que emana da experiência de viver a dor inevitável, Karl voltou para Viena, para seu apartamento na casa dos Kratzinger, com as duas filhas mais velhas e a cunhada. As feridas foram, aos poucos, cicatrizando. Ele era um pai dedicado e, periodicamente, visitava os filhos mais novos em Burgenland.

Apolônia emigrou. Viena só lhe trazia más recordações. Assim, no final de 1923, quando Plonie tinha só 16 anos, em 14 de novembro, partiu da Estação Ferroviária Central de Viena para o porto de Hamburgo, na Alemanha. Tentando ir aos Estados Unidos encontrar Brigite, acabou no Brasil, por falta de documentação. E aqui construiu sua vida.

O sargento Stubby, herói de guerra americano.

GUERRA ANIMAL

Embora tenha sido um conflito essencialmente industrial, onde os mais eficientes armamentos modernos como tanques, aviões, metralhadoras, submarinos e armas químicas foram usados pela primeira vez, os exércitos ainda lançaram mão de animais para auxiliar nas operações militares.

Cavalos e pombos eram ainda muito utilizados. Embora motores eficientes já existissem, bem como veículos motorizados, cavalos foram largamente usados como animais de carga e de tração. Para contornar problemas de comunicação resultantes da destruição

GUERRA ANIMAL

das linhas telefônicas e de telégrafo, pombos e cães também eram utilizados para enviar mensagens das frentes de combate à retaguarda. Até mesmo vermes fosforescentes eram empregados pelos militares para lerem mapas à noite sem serem detectados pelo inimigo.

Muitos desses animais combatentes se destacaram ao proteger soldados e salvar vidas. Alguns deles foram, até mesmo, condecorados e ficaram famosos no seu tempo. Um deles chegou a ser recebido por presidentes – o sargento Stubby.

Nos Estados Unidos, o animal-soldado mais famoso é o sargento Stubby, um cão da raça bull terrier. A participação de Stubby na guerra foi, na verdade, por acaso. O cão perambulava pelo campo de treinamento onde o soldado John Robert Conroy era preparado para a ação. No momento do embarque, Conroy levou Stubby com ele, escondido, para embarcar no *SS Minnesota* que transportou o soldado e seu animal de estimação para a França.

Conroy foi combater nas trincheiras. Ele e Stubby viram ação pela primeira vez em fevereiro de 1918, na Batalha de Chemin des Dames. Logo, o cão de Conroy ficaria famoso entre os soldados.

Ferido duas vezes, uma por estilhaço de bombas e outra por gás venenoso, Stubby participou de dezessete batalhas. Sua audição apurada permitia que ele percebesse as ogivas que haviam sido disparadas contra a trincheira antes de seus companheiros humanos. Mais que isso: quando Stubby ouvia uma bomba caindo, ele corria pela trincheira latindo para avisar os soldados. Alguns combatentes afirmaram que ele era, até mesmo, capaz de distinguir o som de disparos comuns de ogivas de gás.

Acostumado com a entonação da língua inglesa, Stubby também era capaz de localizar soldados americanos feridos. Ele corria pela "terra de ninguém", o espaço vazio entre as trincheiras, quando ouvia alguém pedindo ajuda em inglês e permanecia ao seu lado latindo até a chegada dos médicos.

SOBRE HOMENS, MÁQUINAS E NÚMEROS

Em seu artigo *Animal Heroes of the Great War* (disponível em https://patch.com/connecticut/manchester/animal-heroes-of-the-great-war-part-ii-a-courageous-d21e2c2543c), Philip Devlin conta que uma vez Stubby acuou um soldado alemão que estava mapeando as trincheiras americanas. Stubby avançou e mordeu o alemão, fazendo-o tropeçar e cair, sendo capturado por soldados americanos. Por conta desse ato heroico, Stubby foi promovido a sargento – o primeiro animal a ocupar um posto militar no exército dos Estados Unidos.

Como não podia deixar de ser, na volta aos Estados Unidos, Stubby ganhou grande atenção da imprensa e foi recebido pelo presidente Woodrow Wilson. Ele também foi recebido pelos presidentes Warren Harding (comandou os EUA entre 1921 e 1923) e Calvin Coolidge (governou entre 1923 e 1919) e sempre participava dos desfiles militares usando um uniforme confeccionado para ele por mulheres francesas. Detalhe: o uniforme exibia as muitas medalhas que Stubby havia recebido.

O animal-herói mais famoso dos Estados Unidos morreu nos braços de seu dono, John Conroy, em 1926. Stubby foi empalhado e faz parte da exposição *O Preço da Liberdade* no Instituto Smithsoniano de Washington, D.C., ao lado de outro animal-herói da Primeira Guerra Mundial, o pombo Cher Ami, famoso por ter salvo o chamado "Batalhão Perdido".

Cher Ami foi um dos milhares de pombos-correios usados na Primeira Guerra para enviar mensagens quando as linhas telefônicas e telegráficas estavam danificadas – o que era uma constante. Bilhetes sucintos contendo localizações e ordens eram colocados em pequenos cilindros amarrados nas patas dos pombos. A ave era libertada e rumava para seu ninho – o centro de operações militares mais próximo – levando a importante mensagem. É claro que esses animais eram bastante visados pelos soldados inimigos, que os abatiam para evitar que a informação fosse recebida.

GUERRA ANIMAL

Cher Ami fazia parte da Unidade de Sinalização da 77ª Divisão liderada pelo major Charles Whittlesey. Em setembro de 1918, o batalhão de Whittlesey foi cortado da força principal e ficou cercado pelos alemães durante cinco dias. Por causa desse incidente, a tropa ficou conhecida como o "Batalhão Perdido".

Os soldados tentaram escapar, mas metade dos homens do major foi morta. Precisando de reforços, Whittlesey começou a soltar os pombos com mensagens informando sua posição e pedindo socorro. Ele tinha apenas três aves. Os dois primeiros pombos foram mortos imediatamente depois de soltos. A esperança do "Batalhão Perdido" estava nas asas de Cher Ami, o terceiro e último pássaro.

Solto, o pombo ganhou altura e voou em círculos para reconhecer a direção a tomar, e rumou para a base. Cher Ami foi atingido diversas vezes, porém, continuou a voar, chegando ao seu destino, a quarenta quilômetros dali, em sessenta e cinco minutos. Estava parcialmente cego, tinha sido atingido no peito e se esforçava para suportar a perna pendurada apenas por um tendão, mas a mensagem foi recebida a tempo, reforços foram enviados e o Batalhão Perdido   foi salvo.

O pássaro foi atendido, recebendo todo o cuidado. Quando, parcialmente recuperado e com uma perna de madeira feita especialmente para ele, Cher Ami foi mandado de volta aos Estados Unidos escoltado até o barco pelo próprio general John Pershing, o comandante das Forças Expedicionárias Americanas na Primeira Guerra.

Cher Ami morreu em 13 de junho de 1919 por ter ficado fraco demais, devido aos ferimentos recebidos em sua gloriosa missão. Como Stubby, o corpo de Cher Ami foi empalhado e está exposto ao lado do cão no museu Smithsoniano.

O BRASIL NA GUERRA

Soldados alemães, pouco antes do início da Grande Guerra.

Até meados de 1917, três anos, portanto, depois do início da Primeira Guerra Mundial, o governo brasileiro ainda se mantinha neutro. Mas a guerra na Europa suscitava debates acalorados por aqui. Na época, a maior influência cultural era francesa, por isso, poucos intelectuais se colocaram ao lado dos alemães. O crítico

SOBRE HOMENS, MÁQUINAS E NÚMEROS

literário José Veríssimo, por exemplo, foi um dos mais fervorosos defensores dos aliados.

Houve, porém, vozes discordantes, como Lauro Müller, então ministro das Relações Exteriores, descendente de alemães e, claro, favorável à Alemanha. Em São Paulo e nos estados da região Sul, onde parte da população é constituída de alemães e de seus descendentes, muitos ficaram ao lado dos Poderes Centrais.

De fato, os estrangeiros instalados no Brasil estavam bastante envolvidos com a guerra, mobilizando-se desde o início do conflito. Os imigrantes das diversas nacionalidades formavam colônias coesas. A solidariedade entre eles cresceu ainda mais com a Primeira Guerra Mundial. Muitos fizeram campanhas de bônus de guerra, enviando dinheiro a seus países, como a quermesse promovida pela colônia italiana de São Paulo, que levantou fundos para a ampliação do Hospital Humberto Primo. Outra dessas manifestações aconteceu em fevereiro de 1916, quando várias colônias, lideradas pelo Comitato Pro-Patria feminino, organizaram uma quermesse em São Paulo para arrecadar fundos para os exércitos de seus países de origem. O escritor Fábio Munhoz registrou que "a quermesse, com seus pavilhões coloridos e suas recepcionistas em trajes típicos, representou uma verdadeira festa para a cidade nos dias sombrios da guerra". Entres os imigrantes, houve também os que se alistaram e voltaram à Europa para lutar. Em cidades e bairros de estrangeiros, a guerra chegou a causar conflitos menores. As brigas entre imigrantes de países inimigos eram comuns.

Outros setores da sociedade, representados principalmente pelos operários, opuseram-se à guerra. Em 26 de março de 1915 é criada a Comissão Popular de Agitação contra a Guerra. Nesse mesmo ano, em 1° de maio, o Largo de São Francisco, em São Paulo, foi palco de uma grande manifestação. Cinco mil pessoas se reuniram reivindicando o fim do conflito. "Abaixo a guerra, queremos a paz", diziam os cartazes expostos pelos participantes que distribuíam

O BRASIL NA GUERRA

o *Manifesto Pela Paz*. Fábio Munhoz sustenta que a manifestação era dirigida "aos trabalhadores e ao povo em geral", e que o texto enfatiza que as origens do conflito são as "rivalidades resultantes da política de expansão das grandes potências europeias: um puro jogo de interesses".

Mas os acontecimentos na Europa acabam por arrastar o Brasil para a guerra. Em 3 de abril de 1917, no canal da Mancha, o mercante brasileiro Paraná navegava lentamente, obedecendo a todas as exigências feitas às embarcações de nações neutras em época de conflito. Mas uma esquadra alemã pôs o navio a pique, a tiros de canhão. Três homens morreram. Oito dias depois, o Brasil rompeu relações diplomáticas com a Alemanha, mantendo, porém, a posição neutra.

Em 22 de maio, o navio Tijuca foi afundado próximo a Brest, no litoral norte da França. Imediatamente, o presidente Venceslau Brás solicitou que o Congresso Nacional votasse pela encampação dos navios mercantes alemães ancorados em portos brasileiros. O Congresso aprovou as medidas propostas. Era o fim da neutralidade brasileira.

Como consequência, Lauro Müller, ministro do Exterior e descendente de alemães, pediu demissão. Em 25 de outubro, novo ataque alemão: o navio Macau é afundado por alemães em águas espanholas. O público se revolta e o governo brasileiro proclama, em 27 de outubro de 1917, o "estado de guerra iniciado pelo Império Alemão contra o Brasil".

Contudo, declarada a guerra, o Brasil hesitava em mandar reforços para os aliados: "Que poderíamos nós fazer, não tendo navios mercantes disponíveis e uma Marinha de Guerra reduzida? (...) E, depois, se enviarmos tropas à Europa, como garantiremos nossa própria integridade contra os alemães e 'germanófilos' que temos no Sul?", perguntava o ministro da Guerra José Caetano de Faria.

As autoridades sentiam, de fato, que a grande quantidade de alemães no Brasil representava uma ameaça. As colônias

SOBRE HOMENS, MÁQUINAS E NÚMEROS

alemãs no Sul passaram a sofrer crescentes pressões. Menos de um mês depois de declarar guerra à Alemanha, o governo brasileiro decretou o estado de sítio no Distrito Federal, no Rio de Janeiro, em São Paulo (regiões de intensas agitações políticas e operárias), no Paraná, em Santa Catarina e no Rio Grande do Sul (regiões de grande concentração de imigrantes alemães). A medida foi provada quase por unanimidade pelo Congresso Nacional.

Em janeiro de 1918, o governo tomou as primeiras medidas para entrar na guerra. Foi criada a Força Aérea Brasileira, e um grupo de oficiais foi enviado à Itália, para estudar aviação. Enquanto isso, a França mandava para o Brasil oito técnicos em aeronáutica e 33 aviões.

Também foi organizada a Divisão Naval em Operações de Guerra (DNOG), composta por dois cruzadores, quatro destróieres, um cruzador auxiliar e um rebocador de alto-mar. Seu comando foi entregue ao contra-almirante Pedro de Frontin. A esquadra partiu de Fernando de Noronha em agosto de 1918, rumo à costa africana. Em Dacar, 156 tripulantes morreram vitimados pela gripe espanhola. Outra parte da esquadra foi enviada a Gibraltar, protagonizando um episódio que mostra bem a pouca familiaridade dos brasileiros com a guerra moderna. Na viagem para Gibraltar, os brasileiros abriram fogo sobre um cardume de toninhas, pensando serem submarinos alemães. A gafe passou para a história da Marinha Brasileira como a "batalha das toninhas". Foi a maior ação da nossa força naval. No dia seguinte à chegada da divisão brasileira a Gibraltar, os brasileiros foram notificados do armistício. A guerra tinha terminado.

A participação mais ativa do Brasil no conflito se deu, de fato, por meio do envio de médicos para atuarem nas frentes de batalha. Em agosto de 1918, partiu para a França a missão médica brasileira composta por 86 médicos, chefiada por Nabuco de Gouveia e orientada pelo general Napoleão Aché.

A guerra terminou pouco depois da chegada dos reforços enviados pelo Brasil. No início de 1919, as atenções do mundo todo

O BRASIL NA GUERRA

se voltaram para a Conferência de Paz de Paris. De janeiro a junho daquele ano, o histórico Palácio de Versalhes abrigou delegações de 27 países, incluindo o Brasil. Contudo, a participação brasileira na Conferência não teve maior significância. Como sempre, foi um passeio pago com dinheiro público. Junto aos dez delegados oficiais, embarcaram as respectivas famílias, os assessores, os convidados e os acompanhantes, quase lotando o navio que zarpou do Rio de Janeiro rumo à França.

A Conferência produziu o Tratado de Versalhes. Contendo 440 artigos, apenas dois deles se referiam a interesses brasileiros. Em um, a Alemanha se via obrigada a pagar 125 milhões de marcos correspondentes a um milhão e oitocentas e cinquenta mil sacas de café que aquele país havia destruído nos ataques a navios mercantes brasileiros. Em outro, concedia-se ao Brasil o direito de pagar, a preços antigos e, portanto, menores, os setenta navios alemães que a nossa marinha apreendera em portos nacionais.

PARTE III
AS BATALHAS

1914

Batalha de Liège (4 a 16 de agosto)

O confronto inaugural da Primeira Guerra Mundial foi a Batalha de Liège, que marcou a abertura da ofensiva alemã: a invasão da Bélgica. O ataque à cidade começou em 5 de agosto de 1914 e terminou no dia 16 de agosto quando o último forte belga se rendeu.

Batalha das Fronteiras (14 a 24 de agosto)

Série de batalhas travadas ao longo da fronteira oriental da França e sul da Bélgica, logo após o início das agressões. A batalha foi vencida pelos alemães que invadiram o norte da França através da Bélgica.

Batalha de Stallupönen (17 de agosto)

A Batalha de Stallupönen, travada em 17 de agosto entre os exércitos russo e alemão, foi a primeira batalha ocorrida na Frente Oriental da Primeira Guerra Mundial. A vitória alemã atrasou o cronograma do planejamento russo.

Batalha das Ardenas (21 a 23 de agosto)

Parte da Batalha das Fronteiras, a Batalha das Ardenas foi uma das primeiras batalhas da Primeira Guerra Mundial e ocorreu entre 21 e 23 de agosto de 1914. O 4º e o 5º Exércitos Alemães haviam se movido mais lentamente que o 1º, 2º e 3º exércitos e foram atacados pelos franceses. Os Exércitos franceses tinham poucos

AS BATALHAS

mapas e desconheciam o tamanho da força alemã. Em 22 de agosto, os franceses tornaram a atacar tropas alemãs às 5 horas da manhã, sob forte neblina e chuva, sem apoio de artilharia. À medida que o nevoeiro se dissipou, a artilharia neutralizou a ofensiva. Um contra-ataque alemão terminou por derrotar a divisão francesa. No setor norte da frente de batalha, o IV Corpo de Fuzileiros franceses também avançou no nevoeiro e encontrou tropas alemãs, que o rechaçaram. No flanco sul, o VI Corpo (francês) também foi repelido. Na área do Quarto Exército, o II Corpo (francês) conseguiu manter terreno, mas não conseguiu continuar a avançar. O Corpo Colonial (francês), posicionado no flanco esquerdo, foi derrotado na Batalha de Rossignol e teve 11.646 baixas, enquanto a 5ª Brigada Colonial também era repelida, com muitas baixas. Ao norte, o XII Corpo avançava de forma constante, mas o XVII Corpo foi flanqueado, ao mesmo tempo em que a 33ª Divisão perdia a maior parte de sua artilharia. Os comandantes franceses receberam ordens de continuar a ofensiva. Contudo, os alemães anteciparam o avanço, repelindo o V Corpo (francês), o que levou ao resto do exército francês a recuar. No final da batalha, os franceses retornaram à sua posição inicial.

Batalha de Mons (23 de agosto)

A Batalha de Mons, parte da Batalha das Fronteiras, foi o primeiro grande combate da Força Expedicionária Britânica (BEF) na Grande Guerra.

Batalha de Tannenberg (26 a 30 de agosto)

A Batalha de Tannenberg, travada na Prússia Oriental entre os exércitos alemão e russo, foi vencida pelas forças alemãs que cercaram e destruíram as forças do czar que tinham invadido a Prússia Oriental.

Batalha de Kraśnik (23 a 25 de agosto)

Na Batalha de Kraśnik, travada na Frente Oriental, o 1º Exército Austro-Húngaro enfrentou e derrotou o 4º Exército Russo. Foi a primeira vitória da Áustria-Hungria na Primeira Guerra Mundial.

1914

Cerco a Maubeuge (24 de agosto a 7 de setembro)

O Cerco a Maubeuge teve como resultado a rendição das guarnições francesas às tropas alemãs.

Batalha de Le Cateau (26 de agosto)

A Batalha de Le Cateau foi travada após a retirada das tropas britânicas, francesas e belgas da Batalha de Mons, as quais buscavam estabelecer posições defensivas no Norte da França.

Britânicos mortos na Batalha de Le Cateau

Batalha de Saint-Quentin (29 a 30 de agosto)

Também chamada de Batalha de Guise, foi travada entre tropas alemãs e francesas num dos primeiros confrontos da Primeira Guerra Mundial, durante a retirada dos aliados de Le Cateau.

Corpos de soldados alemães mortos no campo de batalha, em Fère-Champenoise, departamento Marne, França, 1914.

AS BATALHAS

Primeira Batalha do Marne (5 a 12 de setembro)

A vitória franco-britânica sobre a Alemanha nessa batalha foi um dos momentos decisivos da Primeira Guerra Mundial.

> **A CORRIDA PARA O MAR**
>
> A corrida para o mar foi um momento de estagnação no avanço tanto dos aliados como dos alemães ocorrido depois da Primeira Batalha do Marne. A natureza das operações mudou para a guerra de trincheiras numa linha de frente que se estendia por mais de três mil quilômetros.

Batalha de Cer (16 a 19 de agosto)

A batalha de Cer ou batalha de Jadar foi uma das duas tentativas frustradas do Império Austro-Húngaro de invadir a Sérvia no primeiro ano da Primeira Guerra Mundial. Foi também a primeira derrota das Potências Centrais no conflito.

Primeiro avião armado do exército sérvio, em 1915. O avião é Bleriot XI-2, o piloto é Tomić e o outro é o observador Mihajlović. Os caracteres cirílicos, em letra latinas OLUJ, significam "tempestade". Os sérvios estão entre os primeiros a armar seus aviões para combates aéreos.

1914

> **AVIAÇÃO DE GUERRA**
>
> A primeira batalha aérea da guerra foi travada durante a Batalha de Cer, ainda em 1914. O engajamento aconteceu quando um aviador sérvio, Miodrag Tomic, fazia reconhecimento aéreo sobre as posições inimigas. Tomic cruzou um avião austro-húngaro, cujo piloto sacou seu revólver e começou a disparar contra o sérvio.

Batalha do Drina (6 de setembro a 4 de outubro)

Após a derrota na Batalha de Cer, o exército austro-húngaro recuou para a Bósnia e a Sírmia, na região do Rio Drina. A Sérvia, então, lançou uma ofensiva através do Rio Sava para invadir a Sírmia austro-húngara. Com a maioria de suas forças na Bósnia, os austro-húngaros tentaram interromper a ofensiva invadindo a Sérvia novamente. A estratégia funcionou, e a Batalha do Drina terminou com uma vitória austro-húngara sobre a Sérvia.

Primeira Batalha dos Lagos Masurianos (9 a 14 de setembro)

Confronto travado na Frente Oriental durante as fases iniciais do conflito, terminou com a expulsão do 1º Exército Russo da Prússia Oriental. Apesar de não ser tão devastadora quanto a Batalha de Tannenberg, que ocorrera uma semana antes, foi suficiente para atrapalhar os planos da Rússia para a primavera de 1915.

Cerco a Antuérpia (28 de setembro a 10 de outubro)

Nesse confronto entre as forças alemãs e as tropas belgas, britânicas e francesas, o exército alemão cercou uma guarnição de tropas belgas, o exército terrestre belga e a Divisão Naval Britânica na região de Antuérpia, depois da invasão da Bélgica, em agosto de 1914. As tropas belgas conseguiram interromper os planos alemães para enviar tropas para a França.

Batalha do rio Vístula ou Batalha de Varsóvia (29 de setembro a 31 de outubro)

A Batalha do rio Vístula terminou com uma vitória da Rússia sobre o Império Alemão na Frente Oriental.

AS BATALHAS

Primeira Batalha de Arras (1 a 4 de outubro)

A Primeira Batalha de Arras foi uma tentativa de o exército francês flanquear o alemão para, desse modo, evitar que as forças germânicas avançassem até ao Canal da Mancha durante a Corrida para o mar. Contudo, os franceses não tiveram sucesso e perderam Lens, em 4 de outubro, permitindo que os alemães avançassem mais para o norte, em direção a Flandres.

Batalha de Yser (16 a 31 de outubro)

A linha dessa batalha teve uma extensão de 35 quilômetros ao longo do rio Yser e do canal Yperlee, na Bélgica. A linha da frente foi defendida por um forte contingente do exército belga, que conseguiu deter o avanço alemão, apesar de pesadas baixas. A vitória permitiu que os belgas detivessem o controle de uma pequena parte do território.

Primeira Batalha de Ypres (19 de outubro a 24 de novembro)

A Primeira Batalha de Ypres foi a última grande batalha do primeiro ano da Grande Guerra. Diante da estagnação da guerra de trincheiras, o Alto-Comando Alemão decidiu lançar uma última ofensiva, no outono de 1914. O objetivo da ação era romper o dispositivo inimigo, e assegurar, dessa forma, a vitória sobre os aliados, que escapavam rapidamente. Isso, porém, não ocorreu. Mais de 100 mil homens do exército alemão, entre os quais muitos de seus comandantes, pereceram. Nenhum avanço significativo foi realizado nos ataques realizados, e a frente se manteve estável no norte do Rio Yser e de seu canal ao sul.

Batalha de Łódź (11 de novembro a 6 de dezembro)

Travado perto da cidade de Łódź, na Polônia, o combate ocorreu entre o Nono exército alemão e o Primeiro, Segundo e Quinto Exércitos Russos, em terríveis condições de inverno, terminando em vantagem para os alemães.

Batalha de Coronel (1 de novembro)

Batalha naval ocorrida na costa chilena, próxima à cidade de Coronel. A Marinha Imperial Alemã, comandada pelo vice-almirante Maximilian von Spee, encontrou e derrotou um esquadrão da Marinha Real britânica, comandado pelo contra-almirante Christopher Cradock. O choque causado pela derrota britânica levou o Reino Unido a enviar mais navios ao Oceano Pacífico.

Batalha de Kolubara (16 de novembro a 15 de dezembro de 1914)

Na Batalha de Kolubara, travada entre os exércitos da Sérvia e da Áustria-Hungria, os sérvios saíram vitoriosos, repelindo o exército austro-húngaro para além das suas fronteiras.

Batalha das Malvinas (8 de dezembro)

Depois de perder a Batalha de Coronel para os alemães em 1 de novembro, os britânicos enviaram uma grande força no encalço do esquadrão alemão. O encontro resultou na Batalha das Malvinas, uma vitória significativa da Marinha Real Britânica.

Batalha de Givenchy (18 a 22 de dezembro)

Parte da Primeira Batalha de Champagne, os combates travados ao redor do vilarejo de Givenchy contaram com o apoio de tropas indianas. Os combates tiveram início quando tropas indianas da Divisão de Lahore lançaram um ataque, capturando com sucesso duas linhas de trincheiras alemãs. No entanto, seu sucesso durou pouco: os alemães lançaram um rápido contra-ataque e as tropas indianas foram forçadas a recuar. No dia seguinte, o exército britânico foi surpreendido por um ataque maciço lançado pelos alemães agora posicionados em torno de Givenchy. O ataque foi dirigido contra as trincheiras ocupadas pelas mesmas tropas indianas que haviam realizado as operações do dia anterior. As táticas defensivas foram severamente dificultadas pelas condições em que os soldados indianos se encontravam nas trincheiras, as quais estavam inundadas. Como resultado, a força alemã

AS BATALHAS

A tensão nas trincheiras antes da batalha

invadiu e ocupou com sucesso parte de Givenchy, o que levou dois batalhões britânicos da reserva a retaliar, retomando a posição em 20 de dezembro. Os alemães subsequentemente lançaram uma série de contra-ataques antes que as posições britânicas fossem reforçadas pelo Primeiro Exército. O fim dos combates marcou o retorno às linhas de partida, com os britânicos perdendo o dobro de homens que os alemães. As baixas britânicas foram de quatro mil, entre mortos e feridos, enquanto as baixas do Império Alemão foram de dois mil mortos e feridos.

Primeira Batalha de Champagne (20 de dezembro de 1914 a 17 de março de 1915)

Esta batalha foi o primeiro ataque significativo das tropas aliadas contra os alemães desde o início da guerra de trincheiras, estabelecida depois da Corrida para o mar.

Batalha de Sarikamish (22 de dezembro de 1914 a 17 de janeiro de 1915)

Travada na Frente Oriental entre os exércitos dos Impérios Russo e Otomano, parte da Campanha do Cáucaso, a Batalha de Sarikamish resultou na vitória dos russos. As forças otomanas, mal preparadas para as condições do inverno, sofreram pesadas baixas.

Nushan Sahagian, um voluntário armênio de 13 anos de idade, que ganhou uma medalha por sua bravura em Sarikamish.

Corpos de soldados franceses no campo de batalha de Neuve Chapelle.

1915

Batalha de Dogger Bank (24 de janeiro)

A batalha naval travada no Banco de Dogger, no Mar do Norte, entre esquadrões britânicos e alemães, culminou com uma importante

AS BATALHAS

O SMS Blücher naufraga, enquanto a tripulação tenta se manter no casco do cruzador.

vitória britânica. Enquanto os vencedores não perderam nenhum navio e sofreram poucas baixas, os alemães perderam o cruzador Blücher e a maior parte de sua tripulação.

Batalha de Neuve Chapelle (10 a 13 de março)

A Batalha de Neuve Chapelle foi uma ofensiva britânica na região de Artois que rompeu as defesas alemãs em Neuve-Chapelle, mas os britânicos não souberam explorar a vantagem que obtiveram.

Segunda Batalha de Ypres (22 de abril a 25 de maio)

A série de batalhas travadas entre tropas da França, Reino Unido, Austrália e Canadá contra o Império Alemão testemunhou o uso, pela primeira vez, de gás clorídrico como arma de guerra, lançado pelas forças alemãs. Também foi a primeira vez em que uma força colonial (canadenses e australianos) combateu uma potência europeia em solo europeu.

Campanha de Galípoli (17 de fevereiro a 9 de janeiro de 1916)

A Campanha de Galípoli, também chamada de Batalha ou Campanha dos Dardanelos, teve lugar na península de Galípoli, na Turquia. Foi uma das campanhas mais sangrentas da guerra. Forças britânicas, francesas, australianas e neozelandesas desembarcaram em Galípoli, numa tentativa de invasão da Turquia e captura do estreito de Dardanelos, mas a tentativa falhou, com pesadas baixas para ambos os lados. Os aliados se retiraram entre dezembro de 1915 e janeiro de

1916. As divisões ANZAC (Australian and New Zealand Army Corps) foram especialmente afetadas e acusaram os oficiais britânicos de arrogância, crueldade e inaptidão que levaram ao fracasso da campanha.

Ofensiva Gorlice-Tarnów (1 de maio a 18 de setembro)

A ofensiva Gorlice-Tarnów foi inicialmente concebida como uma ação alemã para aliviar a pressão da Rússia sobre os austro-húngaros na Frente Oriental e acabou resultando no total colapso das linhas russas. A série contínua de ações durou a maior parte da campanha de 1915, começando no início de maio e só terminando devido ao mau tempo em setembro.

Segunda Batalha de Artois (9 a 15 de maio)

A Segunda Batalha de Artois teve como objetivo a recaptura por parte dos aliados de uma posição defensiva estabelecida em 1914 pelos alemães entre Rheims e Amiens, o que ameaçava as comunicações entre Paris e o Norte da França. Um avanço francês em Artois poderia cortar as linhas ferroviárias que abasteciam os exércitos alemães entre Arras e Rheims.

A batalha foi travada durante a ofensiva alemã da Segunda Batalha de Ypres (21 abril a 25 maio). O ataque francês inicial rompeu e capturou o monte Vimy, mas unidades de reserva não conseguiram reforçar as tropas no cume, e os contra-ataques alemães os forçaram a se retirar.

Os ataques britânicos em Festubert forçaram os alemães a recuar por três quilômetros, à custa de muitas baixas de ambos os lados. Em 18 de junho, a ofensiva principal foi interrompida. A ofensiva francesa avançou cerca de três quilômetros, tendo disparado 2.155.862 ogivas e perdido 102.500 soldados. Por sua vez, o 6º Exército Alemão perdeu 73 mil homens.

Primeira Batalha de Isonzo (23 de junho a 7 de julho)

A Primeira Batalha de Isonzo foi travada entre a Itália e a Áustria-

AS BATALHAS

Mulheres alemãs trabalhando no esforço de guerra (c. 1917).

Hungria na Campanha Italiana da Primeira Guerra Mundial. O objetivo das forças italianas era repelir os austríacos para longe de suas posições defensivas em Soca (Isonzo). Embora os italianos contassem com uma superioridade numérica de dois para um, sua ofensiva fracassou, uma vez que os austríacos tinham a vantagem de lutar em posições elevadas, bloqueadas com arame farpado, que foram capazes de resistir facilmente aos ataques inimigos.

Nos anos seguintes, houve mais 11 batalhas entre as forças austro-húngaras e italianas na região, hoje território da atual Eslovênia, e ao longo do rio Isonzo no setor oriental da Frente Italiana, entre junho de 1915 e novembro 1917. Doberdó, um desses confrontos, travado em 1916, foi uma das batalhas mais sangrentas da Primeira Guerra.

Grande Retirada Russa (julho a setembro)

A Grande Retirada Russa, ocorreu quando as forças do Império Russo se retiraram da Galícia e da Polônia. Em 13 de julho, todo o exército russo havia conseguido se retirar, deixando apenas um pequeno contingente em Varsóvia e na fortaleza Ivangorov, que também acabou capturado pelos alemães.

1915

Batalha de Loos (25 a 28 de setembro)

A Batalha de Loos foi uma das principais ofensivas britânicas na Frente Ocidental em 1915. Foi a primeira vez que os britânicos utilizaram gás tóxico durante a guerra.

Segunda Batalha de Champagne (25 de setembro a 6 de novembro)

O resultado dessa batalha foi desastroso para os franceses, que após algumas ofensivas e contraofensivas dos alemães, perderam todos os postos conquistados, além de terem sofrido 145 mil baixas.

> ### *A MULHER NA GUERRA*
>
> Durante a guerra, as mulheres assumiram responsabilidades até então reservadas apenas aos homens. As atividades das mulheres durante o conflito contribuíram para a emancipação feminina depois da guerra.

A Batalha de Doberdò, entre o exército italiano e da Austro-Húngaro, por R.A. Höger (1873-1930).

1916

Batalha de Verdun (21 de fevereiro a 18 de dezembro)

Um dos principais confrontos da Primeira Guerra Mundial na Frente Ocidental colocou frente a frente o exército alemão e as tropas francesas num terreno íngreme ao norte da cidade de Verdun-sur-Meuse, nordeste de França. Foi a batalha mais longa, e uma das mais devastadoras da Primeira Guerra Mundial e da história militar, em termos de baixas. Embora não se tenha os números exatos, estima-se que 714.231 homens perderam suas vidas na batalha – 377.231 do lado francês e 337.000 do alemão.

Batalha de Bitlis (2 de março a 24 de agosto)

A Batalha de Bitlis foi, de fato, uma série de confrontos ocorridos durante o verão de 1916, na cidade de Bitlis (atual Turquia) entre as forças russas e otomanas. Bitlis foi conquistada pelos russos em 2 de março de 1916 com o apoio de voluntários armênios. Imediatamente, os otomanos, sob o comando de Kemal Atatürk, iniciaram uma reação e retomaram Bitlis, em 15 de agosto, depois de ter expulsado o exército de Nikolai Yudenich. O contra-ataque turco só foi interrompido em Gevash, em 24 de agosto. Biitlis foi a primeira batalha em que o exército otomano teve sucesso contra os russos.

Batalha da Jutlândia (31 de maio a 1 de junho)

A maior batalha naval da Primeira Guerra Mundial foi o único confronto em grande escala entre couraçados. De fato, para alguns historiadores, o conflito entre as esquadras britânica e alemã na costa da península da Jutlândia, na Dinamarca, é considerada a maior batalha naval da história. Não se pode dizer que houve um vencedor, pois os dois lados sofreram graves perdas. Contudo, com os danos infligidos à frota alemã, os britânicos continuaram controlando o mar. Assim, a Batalha da Jutlândia foi uma vitória de Pirro – o general macedônico que venceu os romanos numa batalha à custa de quase todo o seu exército.

Explosão do navio HMS Queen Mary na Batalha da Jutlândia.

Wikicommon

AS BATALHAS

Batalha de Doberdó (6 de agosto)

A sexta das 12 batalhas de Isonzo, Doberdó foi um dos mais sangrentos campos de combate da Grande Guerra, travada entre os exércitos italiano e austro-húngaro, composto principalmente por regimentos húngaros e eslovenos. Os italianos tentaram avançar sobre o planalto de Carso, buscando ganhar o controle sobre a estrada principal que liga o porto de Trieste à cidade de Gorizia. Depois de violentos combates e enormes baixas, eles tiveram sucesso em suas tentativas. As forças austro-húngaras recuaram e Gorizia caiu nas mãos dos italianos. Eles, no entanto, não conseguiram continuar a avançar até Trieste, tendo sido detidos perto de Duino.

Ofensiva Brusilov (4 de junho a 20 de setembro)

O maior feito do Império Russo durante a Primeira Guerra Mundial e uma das mais letais batalhas da história, considerada por alguns estudiosos como a maior vitória da Tríplice Entente. A grande ofensiva contra os exércitos dos Impérios Centrais na Frente Oriental promovida pelos russos teve lugar no que hoje é território ucraniano. A ofensiva recebeu seu nome de um comandante da Frente Sudoeste, Aleksei Brusilov (1853 – 1926), que desenvolveu as táticas que conduziram os russos à vitória.

Batalha do Somme (1 de julho a 18 de novembro)

Considerada uma das maiores batalhas da Primeira Guerra Mundial, a Batalha do Somme foi uma ofensiva anglo-francesa com o objetivo de romper as linhas de defesa alemãs estacionadas na região do rio Somme, na França. As baixas foram elevadas para ambos os lados, sobretudo para a Grã-Bretanha. Só no primeiro dia da batalha, que marcou a estreia dos tanques de guerra, os britânicos tiveram 57.470 baixas (19.240 mortos) – o combate mais sangrento na história do exército britânico. No total, o confronto produziu mais de 1,2 milhão de vítimas entre mortos e feridos, em cinco meses de combate, numa das operações militares mais violentas da história.

1916

Apesar do custo em material bélico e em vidas, o objetivo dos aliados não foi atingido. Nunca em toda a história militar tantos pereceram por tão pouco...

Batalha de Fromelles (19 a 20 de julho)

Foi uma operação militar britânica na Frente Ocidental, parte da Batalha do Somme. Os preparativos para o ataque foram apressados, as tropas envolvidas não tinham experiência em guerra de trincheiras e a força da defesa alemã foi bastante subestimada – um soldado britânico para dois alemães. Como resultado, o contra-ataque alemão forçou a retirada das tropas australianas – que nessa batalha estreavam na Primeira Guerra – para a linha da frente original.

Soldados britânicos mortos num ataque alemão com gás tóxico em 19 de junho durante a Batalha de Fromelles.

Batalha de Pozières (23 de julho a 7 de agosto)

A luta de duas semanas pelo vilarejo francês de Pozières marcou os estágios intermediários da Batalha do Somme. Embora divisões britânicas estivessem envolvidas na maioria das fases da batalha, Pozières é lembrado principalmente como um combate travado pelos australianos que, com grande custo em termos de vidas, conquistaram seu objetivo. Nas palavras do historiador australiano Charles Bean, o terreno elevado de Pozières "é mais densamente semeado com sacrifício australiano do que qualquer outro lugar na Terra".

Batalha de Guillemont (3 a 6 de setembro)

A Batalha de Guillemont foi um assalto britânico à vila de mesmo nome, controlada pelos alemães durante a Batalha do Somme. Em 3 de setembro, os britânicos capturaram Guillemont e, dois dias depois, Falfemont Farm. As unidades alemãs envolvidas lutaram até a morte nas trincheiras.

A captura de Guillemont enfraqueceu o controle alemão sobre este setor, permitindo que os britânicos lançassem sua próxima grande ofensiva numa frente ampla.

Batalha de Ginchy (9 de setembro)

A captura da vila de Ginchy pela 16ª Divisão Irlandesa do Reino Unido, parte da Batalha do Somme, cobrou um peso alto dos aliados. Os irlandeses sofreram pesadas baixas durante o combate: os sete batalhões irlandeses envolvidos na batalha perderam oito oficiais e 220 homens, dos quais seis oficiais e 61 soldados pertenciam ao 9º Batalhão do Royal Dublin Fusiliers, que sofreu as maiores baixas. O sacrifício garantiu vantagem aos aliados. O bem-sucedido ataque, que capturou a aldeia na primeira tentativa, privou os alemães de seus postos de observação.

Ofensiva de Monastir (12 de setembro a 11 de dezembro)

A operação aliada tinha como objetivo derrotar de vez as forças dos Poderes Centrais na Frente Macedônica, forçando a capitulação da Bulgária e aliviando a pressão sobre a Romênia. A ofensiva se estendeu por três meses e terminou com a captura da cidade de Monastir.

Americanos no campo de batalha durante a I Guerra Mundial.

1917

Teatro do Oriente Médio

O teatro no qual o Império Otomano se envolveu foi o do Oriente Médio, onde enfrentou principalmente os russos e os britânicos. Os franceses e os britânicos moveram a campanha de Galípoli, em 1915, e da Mesopotâmia, no ano seguinte. No entanto, depois de serem derrotados no Cerco de Kut, os britânicos se reorganizaram e conseguiram recapturar Bagdá em março de 1917. Após vencer a Batalha de Romani em agosto de 1916, a Força Expedicionária Egípcia do Império Britânico avançou através da Península do Sinai, infligindo derrotas ao exército otomano nas Batalhas de Magdhaba (23 de dezembro de 1916) e de Rafa (9 de janeiro de 1917), no

AS BATALHAS

Sinai egípcio e na Palestina otomana. A Revolta Árabe, iniciada em 1916 e patrocinada pelos britânicos, libertou a Península Arábica do domínio otomano. Diversas tribos nômades se rebelaram e, apoiadas pelos britânicos, acabaram por tomar Meca.

GENOCÍDIO TURCO CONTRA OS ARMÊNIOS

O massacre dos armênios pelos turcos otomanos foi o primeiro genocídio moderno. Logo no começo da Guerra, o Governo dos Jovens Turcos, que assumiu a administração do governo otomano em 1908, via a população armênia do império como inimiga, uma vez que os armênios apoiaram a Rússia, a maior inimiga dos turcos, no começo da guerra, chegando a combater ao lado dos russos. O governo viu nisso um pretexto para outorgar uma Lei de Deportação, autorizando a deportação de toda a população armênia das províncias orientais do império para a Síria entre 1915 e 1917. As deportações eram, na verdade, pretextos para execuções em massa. Não se sabe ao certo qual foi número de armênios executados durante as deportações em massa. Calcula-se que foram entre 250 mil a 1,5 milhão de pessoas.

Uma mãe armênia ao lado dos corpos de seus cinco filhos.

1917

Batalha de Arras (9 de abril a 16 de maio)

A Batalha de Arras foi uma ofensiva britânica que contou com tropas do Reino Unido, canadenses, neozelandesas, da Terra Nova e australianas. Os aliados atacaram as defesas alemãs, nas proximidades da cidade francesa de Arras, na Frente Ocidental. Quando a batalha terminou, oficialmente, a 16 de maio, as tropas do Império Britânico tinham avançado bastante no terreno, mas não tinham conseguido penetrar nas defesas alemãs — o maior objetivo da ação.

Batalha de Vimy Ridge (9 a 12 de abril)

Este combate fez parte da fase de abertura da Batalha de Arras liderada pelos britânicos, um ataque realizado para apoiar a Ofensiva de Nivelle. O objetivo do Corpo Canadense era a captura e o controle do terreno elevado. Os canadenses capturaram a maior parte da colina durante o primeiro dia do ataque. A cidade de Thélus foi tomada durante o segundo dia da operação. O último objetivo, uma pequena posição situada no exterior da cidade de Givenchy-en-Gohelle, foi capturada em 12 de abril. As forças alemãs retiraram-se da linha de Oppy-Méricourt, abrindo espaço para o avanço dos aliados.

Batalha de Messines (7 a 14 de junho)

A Batalha de Messines consistiu numa ofensiva coordenada pelo Segundo Exército Britânico. A ação forçou o exército alemão a mobilizar suas reservas das frentes de Arras e Aisne para Flandres, o que tirou alguma pressão do exército francês. A Batalha de Messines foi, também, o prelúdio da Terceira Batalha de Ypres.

Batalha de Passchendaele ou Terceira Batalha de Ypres (31 de julho a 6 de novembro)

A Terceira Batalha de Ypres, também chamada de Batalha de Passchendaele opôs os britânicos e os seus aliados canadenses, sul-africanos e unidades das Forças Armadas da Austrália e Nova Zelândia (ANZAC, conforme sigla em inglês), às forças do Império

AS BATALHAS

Alemão, numa disputa pela região ao redor da cidade belga de Ypres. Passchendaele fica situada na última colina a leste de Ypres, próxima de um entroncamento ferroviário em Roulers, uma parte vital do sistema de abastecimentos do 4º Exército Alemão, a qual os britânicos e seus aliados deveriam tomar. A campanha terminou em novembro, quando o Corpo Canadense finalmente capturou Passchendaele.

Batalha de Mărășești (6 de agosto a 8 de setembro)

Esta foi a última grande batalha entre o Império alemão e o Reino da Romênia na frente romena. A Romênia foi ocupada pelas Potências Centrais, mas a batalha de Mărășești garantiu que a região nordeste do país permanecesse livre de ocupação.

A Saída da Rússia da Guerra

Depois da Revolução de Outubro de 1917, quando os bolcheviques tomaram o poder, a Rússia estava enfraquecida pelas crises internas e pela sua participação no conflito internacional que grassava na Europa. Para realizar os planos de recuperação e desenvolvimento econômico-social, os quais incluíam um sistema de saúde gratuito para toda a população, assegurar os direitos das mulheres e acabar com o analfabetismo, o novo governo bolchevique tinha, antes, de tirar a Rússia da Primeira Guerra Mundial. Para tanto, as autoridades russas assinaram o desvantajoso Tratado de Brest-Litovski, sob o qual a Rússia perdia importantes territórios. A insatisfação que se seguiu lançou a Rússia numa luta fratricida.

Forças britânicas na Campanha de Tessalônica disparam canhão de 18 libras a partir de uma posição camuflada na frente Doiran.

1918

Ofensiva da Primavera (21 de março a 18 de julho)

Com a saída da Rússia do conflito, marcando o fim da guerra no Leste, os alemães puderam empregar, na Frente Ocidental, as forças liberadas no Front Oriental. Por conta disso, lançaram a Ofensiva da Primavera. Usando novas táticas de infiltração, os alemães avançaram cerca de cem 100 km a oeste – o maior avanço realizado por qualquer exército na Frente Ocidental. A Ofensiva da Primavera quase teve sucesso em romper as linhas dos aliados. Estes, porém, conseguiram resistir.

Batalha de La Lys (9 a 29 de abril)

Esta batalha, travada durante a Ofensiva da Primavera, marcou negativamente a participação de Portugal na Primeira Guerra Mundial. Com efeito, a derrota que os exércitos alemães infligiram

AS BATALHAS

às tropas portuguesas foi o maior desastre militar do país depois da Batalha de Alcácer-Quibir, em 1578, na qual o rei Dom Sebastião desapareceu.

Segunda Batalha do Marne (27 de maio a 6 de agosto)

A Segunda Batalha do Marne, ou Batalha de Reims, foi a última ofensiva alemã importante na Frente Ocidental. Contudo, o contra-ataque dos aliados – liderado pelas forças francesas e contando com várias centenas de tanques – neutralizou a ação alemã, infligindo pesadas baixas ao inimigo. A derrota alemã marcou o início do avanço implacável dos aliados, a Ofensiva dos Cem Dias, que culminou com o armistício, cerca de cem dias depois do início da Segunda Batalha do Marne.

Batalha de Amiens (8 a 11 de agosto)

Também chamada de Terceira Batalha de Picardy, a ação marcou o início da Ofensiva dos Cem Dias, que traria o fim da Primeira Guerra Mundial. As forças Aliadas avançaram cerca de 11 km no primeiro dia, um dos maiores avanços da guerra, sob o comando do general inglês barão Henry Rawlinson. Amiens foi uma das primeiras grandes batalhas envolvendo veículos blindados e pôs um fim à guerra de trincheiras na Frente Ocidental. Um número significativo de alemães foi rendido, indicando os ânimos abalados dos soldados do Kaiser.

Ofensiva de Vardar (15 a 29 de setembro)

A Ofensiva foi realizada durante a fase final da Campanha dos Bálcãs, quando, em 15 de setembro, uma força combinada de tropas sérvias, francesas e gregas atacou as trincheiras búlgaras em Dobro Pole, na atual República da Macedônia. O fogo de artilharia anterior ao ataque teve efeitos devastadores sobre a moral dos búlgaros e acabou levando a deserções em massa. Embora os búlgaros tenham, em seguida, conseguido deter o avanço dos aliados no setor de Doiran, o colapso da Frente de Dobro Pole forçou os defensores a se retirar de Doiran. A ofensiva levou a Bulgária a assinar o Armistício de Salonica e a retirar-se da guerra. A queda da Bulgária

1918

virou o equilíbrio estratégico e operacional da guerra contra as Potências Centrais.

Ofensiva dos Cem Dias (8 de agosto a 11 de novembro)

Os aliados receberam um reforço decisivo com a entrada dos Estados Unidos na Guerra. O país enviou 2,1 milhões de soldados, o que permitiu uma nova e grande ação que colocou um fim à guerra: a Ofensiva dos Cem Dias. A operação contou com 600 tanques de guerra e o apoio de 800 aviões. As operações resultaram no colapso das forças germânicas, já esgotadas após quatro anos de luta. O avanço inexorável dos aliados em 1918 convenceu os líderes militares alemães de que a derrota era inevitável. A constatação levou os alemães a buscar o armistício.

Batalha de Megido (19 a 25 de setembro)

A Batalha de Megido resultou na conquista da Palestina pelos britânicos, sob o comando de Edmund Allenby. As forças do Império Britânico cercaram os otomanos no vale de Jizreel, perto do rio Jordão, vencendo-os com pouquíssimas baixas – algo raro nas ofensivas da Primeira Guerra Mundial.

Ofensiva Meuse-Argonne (26 de setembro a 11 de novembro)

A Ofensiva Meuse-Argonne, também chamada de Batalha da Floresta de Argonne, foi parte da Ofensiva dos Cem Dias. A operação foi planejada pelo comandante francês Ferdinand Foch e envolveu forças dos EUA, da França, do Reino Unido e de países do Commonwealth, além da Bélgica. O objetivo – que foi cumprido com sucesso – era romper a Linha Hindenburg, o grande sistema de defesa construído pelos alemães durante o inverno de 1916 – 1917 no Nordeste da França, forçando a capitulação dos alemães. A Ofensiva Meuse-Argonne foi a maior operação e a mais significativa vitória da Força Expedicionária Americana (AEF) na I Grande Guerra.

Segunda Batalha de Cambrai (8 a 10 de outubro)

A Segunda Batalha de Cambrai, ocorrida na cidade francesa que deu nome ao combate, entre as tropas britânicas e alemãs, foi

AS BATALHAS

outro confronto famoso travado durante a Ofensiva dos Cem Dias. A batalha inaugurou várias táticas e armas inovadoras, em particular o uso de tanques, o que resultou numa vitória esmagadora dos aliados com poucas baixas.

Batalha de Vittorio Veneto (24 de outubro a 4 de novembro)

A Batalha de Vittorio Veneto, a última da campanha italiana da Primeira Guerra Mundial, terminou com a vitória da Itália e levou o exército austro-húngaro ao colapso.

Batalha de Sharqat (23 a 30 de outubro)

A Batalha de Sharqat, travada entre as forças britânicas e o Império Otomano como parte da Campanha da Mesopotâmia, foi o engajamento final dos turcos que, com a derrota, aceitaram o armistício.

As batalhas da Primeira Guerra Mundial marcaram definitivamente o desenvolvimento de novas estratégias apoiadas pelo uso de armas e equipamentos inovadores. Nos primeiros anos da conflagração, foram usadas estratégias e esquemas comuns à arte da guerra do século 19. Contudo, mostraram-se datadas diante do poderio de destruição dos armamentos empregados. Até então, os soldados da infantaria atacavam as posições inimigas em grande número, após pesado bombardeio realizado pela artilharia, visando inibir a reação. Entretanto, diante da precisão e da letalidade das metralhadoras e da ineficiência da artilharia, esse tipo de avanço sacrificava muitos soldados e não atingia o objetivo. Com efeito, isso resultou num índice de baixas incrivelmente alto, com milhares de vida perdidas. Logo, o movimento pacifista no Reino Unido, liderado por figuras de proa da intelectualidade local, como o filósofo Bertrand Russell e o escritor Lytton Strachey, ganhou força e começou a questionar a validade de um sacrifício tão custoso. Foi apenas no final do conflito, principalmente com a introdução dos tanques de guerra e com a diminuição do número de soldados por pelotão, o que garantia melhor comunicação entre o comandante e os comandados, que os estrategistas militares renovaram o modo de se combater, inaugurando novas táticas e configurações que passariam a ser usadas a partir de então.

APÊNDICE

A Primeira Guerra Mundial em Números e Dados

Uma das maneiras de entender a violência e extensão da Primeira Guerra é examinar os números de mortos e feridos, equipamentos utilizados, dinheiro investido, datas e outros dados. Os números exatos ainda são debatidos, por conta dos diferentes critérios usados na mensuração, da exatidão das informações e da perda ou destruição de documentos oficiais. Os dados a seguir foram compilados a partir de diversas fontes e aproximam-se das estimativas feitas por especialistas.

Datas da Declaração de Guerra por País

Aliados	Data da Declaração
1. Sérvia	28 de julho de 1914
2. Rússia	1 de agosto de 1914
3. França	3 de agosto de 1914
4. Bélgica	4 de agosto de 1914
5. Grã-Bretanha	4 de agosto de 1914
6. Montenegro	7 de agosto de 1914
7. Japão	23 de agosto de 1914
8. Itália	23 de agosto de 1915
9. Portugal	10 de março de 1916
10. Romênia	27 de agosto de 1916
11. Estados Unidos	5 de abril de 1917
12. Cuba	8 de abril de 1917
13. Panamá	9 de abril de 1917
14. Grécia	16 de abril de 1917
15. Sião	22 de julho de 1917
16. Libéria	7 de agosto de 1917

APÊNDICE

17. China	14 de agosto de 1917
18 Haiti	23 de setembro de 1917
19. Brasil	27 de outubro de 1917
20. Guatemala	25 de abril de 1918
21. Nicarágua	17 de maio de 1918
22. Costa Rica	25 de maio de 1918

Fonte: Australian Campaigns in the Great War – Lt. Hon Stanisforth Smith

Estatísticas Gerais (Aliados e Poderes Centrais)

Número total de homens mobilizados para combater	65 milhões
Percentual dos homens mortos mobilizados para combater	57 %
Número total de casualidades (mortos, feridos e desaparecidos)	37 milhões
Número de prisioneiros de guerra	7.7 milhões
Número de soldados feridos	19.7 milhões
Número de anos do conflito	4 anos
Número de casualidades militares dos aliados	5.7 milhões
Número de casualidades civis dos aliados	3.67 milhões
Número de civis aliados feridos	12.8 milhões
Número total de casualidades militares	9.720.450
Número total de casualidades civis	8.865.650

Número de Homens Mobilizados por País

Países Beligerantes	Exército e Reservas em Agosto de 1914	Forças Mobilizadas entre 1914-18
Rússia	5.971.000	12.000.000
França	4.017.000	8.410.000
Grã-Bretanha	975.000	8.905.000
Itália	1.251.000	5.615.000
Estados Unidos	200.000	4.355.000
Japão	800.000	800.000
Romênia	290.000	750.000
Sérvia	200.000	707.000
Bélgica	117.000	267.000
Grécia	230.000	230.000
Portugal	40.000	100.000
Montenegro	50.000	50.000
Alemanha	4.500.000	11.000.000
Áustria-Hungria	3.000.000	7.800.000
Turquia	210.000	2.850.000
Bulgária	280.000	1.200.000

Fonte: First World War Encyclopedia – Spartacus Educational

APÊNDICE

Mortos, Feridos e Desaparecidos

O número total de casualidades civis e militares na Primeira Guerra Mundial foi acima de 37 milhões, sendo cerca de 17 milhões de mortos e 20 milhões de feridos, o que coloca o conflito entre os mais sangrentos e mortais da história. Entre os mortos foram cerca de dez milhões de militares e sete milhões de civis. Os aliados perderam em torno de seis milhões de soldados, enquanto as nações do Eixo, quatro milhões. Pelo menos dois milhões morreram de doenças e seis milhões desapareceram, presumivelmente mortos.

Ao contrário das guerras do século XIX, quando as maiores causas das mortes se davam devido a doenças, cerca de dois terços das mortes de militares ocorreram durante batalhas. As causas dessa mudança se devem aos avanços na medicina e ao aumento da eficiência letal das armas. Mesmo assim, aproximadamente um terço das mortes dos militares durante a Primeira Guerra foram causados por doenças, especialmente a Gripe Espanhola.

País	Total de Forças Mobilizadas	Mortos	Feridos	Prisioneiros e Desaparecidos	Total de Casualidades	Percentual de Casualidades
Aliados						
Rússia	12.000.000	1.700.000	4.950.000	2.500.000	9.150.000	76,3
Império Britânico	8.904.467	908.371	2.090.212	191.652	3.190.235	35,8
França	8.410.000	1.357.800	4.266.000	537.000	6.160.800	73,3
Itália	5.615.000	650.000	947.000	600.000	2.197.000	39,1
Estados Unidos	4.355.000	116.516	204.002	4.500	323.018	7,1
Japão	800.000	300	907	3	1.210	0,2
Romênia	750.000	335.706	120.000	80.000	535.706	71,4
Sérvia	707.343	45.000	133.148	152.958	331.106	46,8
Bélgica	267.000	13.716	44.686	34.659	93.061	34,9
Grécia	230.000	5.000	21.000	1.000	27.000	11,7
Portugal	100.000	7.222	13.751	12.318	33.291	33,3
Montenegro	50.000	3.000	10.000	7.000	20.000	40,0
TOTAL	42.188.810	5.142.631	12.800.706	4.121.090	22.062.427	52,3
Países do Eixo						
Alemanha	11.000.000	1.773.700	4.216.058	1.152.800	7.142.558	64,9
Áustria-Hungria	7.800.000	1.200.000	3.620.000	2.200.000	7.020.000	90,0
Turquia	2.850.000	325.000	400.000	250.000	975.000	34,2
Bulgária	1.200.000	87.500	152.390	27.029	266.919	22,2
TOTAL	22.850.000	3.386.200	8.388.448	3.629.829	15.404.477	67,4
TOTAL GERAL	**65.038.810**	**8.528.831**	**21.189.154**	**7.750.919**	**37.466.904**	**57,5**

Fonte: Public Broadcasting Service (PBS)

APÊNDICE

Número de Casualidades (mortos e feridos) com relação à população de cada país

País	População	Soldados no Front	Total de casualidades
Aliados			
Império Britânico	434.286.650	7.052.453	3.249.179
França	53.969.337	9.000.000	4.331.375
Rússia	180.000.000	10.000.000	7.190.000
Itália	35.000.000	4.200.000	1.600.123
Japão	75.000.000	75.000	3.314
Bélgica	7.500.000	260.000	196.098
Sérvia, Eslováquia e Montenegro	5.000.000	657.343	435.596
Romênia	7.200.000	643.000	279.540
Grécia	5.000.000	300.000	28.007
Portugal	6.000.000	60.000	15.280
E.U.A.	92.000.000	2.061.000	233.954
Países do Eixo			
Alemanha	70.000.000	9.898.000	6.116.200
Áustria	50.000.000	6.500.000	2.521.734
Turquia	20.000.000	1.500.000	883.719
Bulgária	5.500.000	500.000	446.000

Fonte: Summary of Australian War Casualties, em www.awm.gov.au

Mortes Provocadas por Gás

País	Não Letal	Mortes	Total
Império Britânico	180.597	8.109	188.706
França	182.000	8.000	190.000
Estados Unidos	71.345	1.462	72.807
Itália	55.373	4.627	60.000
Rússia	419.340	56.000	475.340
Alemanha	191.000	9.000	200.000
Áustria-Hungria	97.000	3.000	100.000
Outros	9.000	1.000	10.000
Total	**1.205.655**	**91.198**	**1.296.853**

Fonte: First World War Encyclopedia – Spartacus Educational

Marinha e Aeronáutica

Navios Mercantes Aliados e de Países Neutros Afundados	1914	1915	1916	1917	1918
Afundados por submarinos	3	396	964	2.439	1.035
Afundados por fogo de superfície	55	23	32	64	3
Afundados por minas	42	97	161	170	27
Afundados por aviões	0	0	0	3	1

Fonte: First World War Encyclopedia – Spartacus Educational

APÊNDICE

Navios de Guerra

País	Encouraçados	Cruzadores	Canhoneiras	Torpedeiro	Submarinos	Destróieres
Aliados						
Rússia	4	2	1	0	14	22
França	4	5	2	8	12	11
Grã-Bretanha	13	25	7	11	54	64
Itália	3	3	1	6	8	8
Estados Unidos	0	3	1	0	1	2
Japão	1	4	0	1	0	2
Poderes Centrais						
Alemanha	1	7	8	55	200	68
Áustria-Hungria	3	2	0	4	7	4
Turquia	1	2	4	5	0	3

Fonte: First World War Encyclopedia – Spartacus Educational

Número de Aviões e Dirigíveis em 1914

País	Aviões	Dirigíveis
Alemanha	246	11
Áustria-Hungria	35	1
Grã-Bretanha	110	6
França	160	4
Rússia	300	11
Bélgica	25	–

Fonte: First World War Encyclopedia – Spartacus Educational

Ases Britânicos

Piloto	Número de Vitórias
Mick Mannock	73
James McCudden	54
Philip Fullard	53
William Barker	52
G. E. McElroy	48
Albert Ball	44
Herbert J. Larkin	41
J. I. Jones	41
W. G. Claxton	39
F. R. McCall	39
John Gilmore	37

Fonte: First World War Encyclopedia – Spartacus Educational

APÊNDICE

Piloto	Número de Vitórias
Henry Woollett	35
Frank Quigley	34
Murless-Green	32
J. L. White	31
M. B. Frew	30
C. E. Howell	30

Ases Franceses

Piloto	Número de Vitórias
René Fonck	75
Georges Guynemer	53
Charles Nungesser	43
Georges Madon	41
Maurice Boyau	35
Michel Coiffard	34
Leon Bourjade	28
Armand Pinsard	27
René Dorme	23
Gabriel Guérin	23
Claude Haegelen	22
Alfred Heurtaux	21
Pierre Marinovitch	21
Albert Deullin	20
Jacques Ehrlich	19
Henri de Sade	19
Bernard de Romanet	18
Jean Chaput	16
Jean Sardier	15
Armand de Turenne	15
Marius Ambrogi	14
Hector Garaud	13

Fonte: First World War Encyclopedia – Spartacus Educational

APÊNDICE

Ases Alemães

Piloto	Número de Vitórias
Manfred von Richthofen (Barão Vermelho)	80
Ernst Udet	62
Erich Löwenhardt	54
Josef Jacobs	48
Werner Voss	48
Fritz Rumey	45
Rudolph Berthold	44
Bruno Loerzer	44
Paul Bäumer	43
Oswald Boelcke	40
Franz Büchner	40
Lothar von Richthofen	40
Carl Menckhoff	39
Heinrich Gontermann	39
Theodor Osterkamp	38
Karl Bolle	36
Julius Buckler	36
Max von Müller	36
Gustav Dorr	35
Otto Konnecke	35
Eduard von Schleich	35
Emil Thuy	35

Fonte: First World War Encyclopedia – Spartacus Educational

APÊNDICE

Ases Americanos

Piloto	Número de Vitórias
Eddie Rickenbacker	26
Francis Gillet	20
Wilfred Beaver	19
Howard Kullberg	19
William Lambert	18
Frank Luke	18
August Jaccaci	17
Paul Iaccaci	17
Raoul Lufbery	17
Eugene Coler	16
Oren Rose	16
Elliot Springs	16
Frederick Libby	14
Kenneth Unger	14
G. A. Vaughn	13
David Putnam	13
Frank Baylies	12
Louis Bennett	12
Frederick Lord	12
Field Kindley	12
Reed Landis	12
Emile Lussier	12
James Pearson	12
Clive Warman	12

Fonte: First World War Encyclopedia – Spartacus Educational

Ases Russos

Piloto	Número de Vitórias
Alexander Kazakov	20
Vasil Yanchenko	16
Pavel Argeyev	15
Ivan Smirnov	11
Grigoriy Suk	9
Donat Makeenok	8
Yevgraf Kruten	7
Vladimir Strzhizhevsky	7

Fonte: First World War Encyclopedia – Spartacus Educational

APÊNDICE

Custos
Custo em Dólares da Primeira Guerra (por país)

Aliados	Custo em Dólares 1914-18
Estados Unidos	22.625.253.000
Grã-Bretanha	35.334.012.000
França	24.265.583.000
Rússia	22.293.950.000
Itália	12.413.998.000
Bélgica	1.154.468.000
Romênia	1.600.000.000
Japão	40.000.000
Sérvia	399.400.000
Grécia	270.000.000
Canadá	1.665.576.000
Austrália	1.423.208.000
Nova Zelândia	378.750.000
Índia	601.279.000
África do Sul	300.000.000
Colônias Britânicas	125.000.000
Outros	500.000.000
Total dos Custos	125.690.477.000
Poderes Centrais	**Custo em Dólares 1914-18**
Alemanha	37.775.000.000
Áustria-Hungria	20.622.960.000
Turquia	1.430.000.000
Bulgária	815.200.000
Total dos Custos	60.643.160.000

Fonte: First World War Encyclopedia – Spartacus Educational

BIBLIOGRAFIA

E-REFERÊNCIAS

DEVLIN, Philip. Animal Heroes of the Great War. Disponível em https://patch.com/connecticut/manchester/animal-heroes-of-the-great-war-part-ii-a-courageous-d21e2c2543c). Consultado em 03.04.2014

DIVERSOS AUTORES. Spartacus Educational. Disponível em: https://spartacus-educational.com/FWW.htm. Consultado em 31.03.2014

REFERÊNCIAS BIBLIOGRÁFICAS

BUCHANNAN, Patrick. Churchill, Hitler and the Unnecessary War. s/l : Crow Forum, 2009.

BALAKIAN, Peter. The Burning Tigris: The Armenian Genocide and America's Reaction. Nova York: Harper Collins, 2003.

CAPOZZOLA, Christopher. Uncle Sam Wants You: World War I and the Making of the Modern American Citizen. s/l: Oxford University Press (USA), 2008.

CHICKERING, Roger. Great War, Total War: Combat and Mobilization on the Western Front, 1914-1918. Nova York, Stig Förster, 2000.

CHURCHILL, Winston S. Memórias da Segunda Guerra Mundial.
Rio de Janeiro: Nova Fronteira, 1995.

FROMKIN, David. Europe's Last Summer: Who Started the Great War in 1914? Nova York : Knopf, 2004.

_____. A Peace to End All Peace: The Fall of the Ottoman Empire and the Creation of the Modern Middle East. Nova York : Henry Holt, 1989.

BIBLIOGRAFIA

FARWELL, Byron. Over There: The United States in the Great War. Londres: Norton, 2000.

HORNE, John; KRAMER, Alan. German Atrocities, 1914: A History of Denial. New Haven : Yale University Press, 2001.

KEYLOR, William R. The Legacy of the Great War: Peacemaking. Belmont: Wadsworth, 1997.

KRAMER, Alan. Dynamic of Destruction: Culture and Mass Killing in the First World War. Oxford: Oxford University Press, 2007)

MCALLISTER, Hayden. Flying Stories. Londres : Octopus Books, 1982.

ROPER, Trevor. Hitler's Secret Conversations. Nova York : Farrar, Straus e Young, 1953.

STRACHAN, Hew. The First World War. Londres : Simons and Shuster, 1993.

TRAVIS, Hannibal. Genocide in the Middle East: The Ottoman Empire, Iraq, and Sudan. Durham: Carolina Academic Press, 2010.

TUCHMAN, Barbara. The Zimmerman Telegram. Londres : Penguin, 1985.

TUCKER, Spencer. The European Powers in the First World War. Abingdon: Taylor & Francis, 1999.

WESTWELL, Ian. World War I - Day by Day. Londres : Grange Books, 2000.

**CONFIRA NOSSOS
LANÇAMENTOS AQUI!**

Camelot
EDITORA

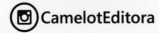